矿井地下水害与防治

王志荣　石明生　编著

黄河水利出版社

内 容 提 要

河南省煤矿是全国著名的大水矿区,全省北起鹤壁、南至平顶山,地下水患严重,突水事故频发,已引起国内外的广泛关注。本书介绍了河南省矿井水害的现状、矿区水文地质特征、地下水害形成机理,阐述了矿井水害的控制因素、矿井水害防治措施和矿井水综合利用方法、突水事故案例分析及突水事故系统分析,最后介绍了当前矿井水文地质的最新工作方法和最新发展动态。

本书可供矿山工程勘察、设计、施工、监理、建管、矿井地质工程技术人员使用,也可作为大专院校相关专业师生的参考用书。

图书在版编目(CIP)数据

矿井地下水害与防治/王志荣,石明生编著.—郑州:黄河水利出版社,2003.7

ISBN 7-80621-696-0

Ⅰ.矿… Ⅱ.①王…②石… Ⅲ.①地下水-矿山水灾-预防②地下水-矿山水灾-处理 Ⅳ.TD745

中国版本图书馆 CIP 数据核字(2003)第 050168 号

出 版 社:黄河水利出版社

地址:河南省郑州市金水路11号　　邮政编码:450003

发行单位:黄河水利出版社

发行部电话及传真:0371-6022620

E-mail:yrcp@public.zz.ha.cn

承印单位:黄河水利委员会印刷厂

开本:850mm×1 168mm　1/32

印张:5.75

字数:142 千字　　　　印数:1—1 500

版次:2003 年 7 月第 1 版　　印次:2003 年 7 月第 1 次印刷

书号:ISBN 7-80621-696-0/TD·1　定价:12.00 元

前　言

　　矿山安全是煤矿生产永恒的话题,而防治地下水害则是河南省煤矿安全生产所面临的一个迫切的重大课题。

　　河南省煤矿多系"三软"矿区,水文地质、工程地质条件复杂,矿井地质灾害频繁,而地下水害尤为严重。省内北起鹤壁,南至平顶山,自开采之时起突水事故即连绵不断。据原河南省煤炭工业厅统计的资料,仅1993年全省各类突水、淹井事故即达700余起,造成人员伤亡940余人,造成年吨煤死亡率远远高于全国平均水平。频繁的地下水害严重威胁着矿井的安全生产,同时也造成生产成本剧增。焦作矿务局仅九里山煤矿每年所支出的排水电费即高达400多万元。多年来,各级领导和广大矿井地质工作者对矿井水害问题十分重视。地质、煤炭、冶金、化工等各部门科研力量也进行了大量的实际工作,力图解决矿井水害的预测预报问题。但由于"三软"矿区水文地质条件的复杂性和不确定性,尽管投入了很大力量和使用了各种先进手段,对问题的解决仍收效甚微。

　　煤矿水害防治反映了一个国家或地区的科技水平和经济能力,此问题在当今世界地质界中仍是一个难题。煤矿地下水害自20世纪80年代初逐渐为人们所认识。中国地质大学(北京)田开铭教授等对各向异性裂隙介质渗透性的研究,以及据此建立的裂隙岩石水文地质模型对推动国内矿井水文地质的研究及地下水害的防治具有开拓性意义。而华北型煤田矿井防治水决策系统的建立及矿坑涌水量预测的拟三维数值模型研究(武强,1992年,1995年)则揭开了华北地区矿井防治水研究的序幕。河南省矿井水害问题于 20 世纪 90 年代初开始受到重视,有关部门和专家对此开展了广泛的研究(李勋千,1992 年;董家国,1992 年;任素贞,1993 年;煤科院西安分院,1993 年;河南省煤田地质公司,1994 年)。但是限于各自的工作范围和研究内容,目前对河南省矿井水害防治尚未取得总体认识,在其形成机理、控制因素、作用时间和构造环境等方面仍存在着不同看法。本书就是在已有工作的基础上,总结了新中国成立以来河南省历次地下水害的经验、教训,应用工程地质、水文地质基础理论对矿井水害的形成机理、控制因素及综合利用进行了系统、清晰的论述和科学探讨。同时,对各种勘察技术手段、治水方法、预测数理模型、环境地质和计算机应用等也进行了初步探讨。

在此,编著者对河南省煤炭工业管理局安全处李震寰高级工程师(教授级高工)、综合处董风仪高级工程师及河南省煤炭科研所地质建井室李铁强工程师在本书编著过程中的关心、支持和指导表示衷心的感谢。郑州工业大学环水学院万长吉教授、吴泽宁教授对本书初稿提出了若干有益的修改意见,河南省煤矿安全监察局黄体信高级工程师(教授级高工)、严振声高级工程师对编著者给予了热情指导和帮助,在此一并致谢。

编著者

2003 年 4 月

目　录

第一章 绪 论

第一节 河南省煤矿水害现状

随着我国工农业生产的迅速发展,对煤炭的需求量日益增长,能源的紧缺问题越来越突出。在我国煤炭生产结构中,河南省具有举足轻重的地位。2002 年河南省煤炭总产量已突破 9 000 万 t,成为我国第二大产煤省份。因此,加快河南省煤炭工业的发展,对全省乃至全国的国民经济发展都具有重要的战略意义。

河南省煤炭工业发展受到多种因素的制约,除当前国家政策性因素外(如资金短缺、设备陈旧、煤价过低等),水、火、瓦斯、顶板等地质灾害是主要自然限制因素,尤其是地下水害对煤矿的生产和建设构成极大威胁。河南省煤矿多系大水矿区,奥灰和太灰水患严重。全省北起鹤壁,南至平顶山,自开采之时起水患即连绵不断(见图 1-1)。据统计资料,自新中国成立以来,全国岩溶类矿井突水量大于 10 m^3/min 的突水共发生 200 余次,大于 50 m^3/min 的突水 20 余次,而河南省同类矿井同等规模的突水分别为 60 余次和 10 余次,占全国同类突水次数的 30% 和 50%。以焦作矿区为例。该矿区位于河南省西北部,是一个具有 80 多年开采历史的老矿区,也是我国有名的大水矿区。自建矿以来,发生大小突水事故近千次,仅 100 m^3/min 以上突水就达 7 次。目前,全区矿井总涌水量达 400～500 m^3/min,最高达 589.92 m^3/min,富水系数 66.3 m^3/t。频繁的突水事故严重地威胁着矿井的安全生产,增加了生产成本,仅九里山井田年排水电费即高达 400 多万元。水害已成为制约焦作矿区发展的主要障碍。

此外,全国产煤大户——平顶山矿区水害也十分严重。1987年全区矿井总排水量 5 215.12 万 m^3。自 20 世纪 60 年代以来,大于 360 m^3/h 的突水共 24 次,造成淹井 6 次、淹风井 2 次、淹井底车场 1 次,15 次为局部被淹,造成停采停掘。历年最大突水点出水量 4 390 m^3/h,采面最大涌水量 420 m^3/h。

由此可见,河南省主要产煤区水文地质条件均很复杂,与国内其他产煤地区乃至世界主要产煤国家相比,无论从受水威胁的面积上,还是从类型上或严重程度上都是罕见的,而且随着开采深度的增加,水害威胁越来越大,防治水的工作也越来越困难。

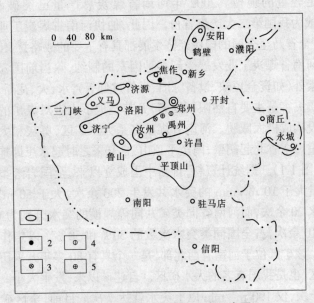

图 1-1　河南省煤矿水害分布示意图

1—水害分区界线;2—九里山煤矿;

3—养钱池煤矿;4—裴沟煤矿;5—郜城煤矿

第二节 地质及水文地质特征

一、区域含水层特征

河南省气候属大陆性半干燥亚湿润气候带,特点是冬春干旱、夏秋湿润,降雨多集中在七、八、九三个月,曲线呈三角峰形,占全年降水量的 60%以上。全省煤田为典型的华北型石炭-二叠系煤田,下伏奥陶系灰岩或寒武系灰岩,构成煤系地层底盘。石炭系太原组薄层灰岩广泛发育其间,在漫长的地质时期中岩石被溶蚀,形成了广袤的储水空间。岩溶地下水储藏量大,运移复杂,以高水头对矿床进行充水,成为煤矿开采的主要威胁。根据地下水赋存条件、水力特征、岩性特征以及与主采煤层之间的空间关系,将矿区含水层划分为顶板碎屑岩类孔隙裂隙含水层和底板碳酸盐类岩溶裂隙含水层两大含水岩组。

(一)煤层顶板砂岩含水层特征

河南省煤田主采煤层二煤组顶板含水层包括太原组最上层灰岩顶面以上的诸砂岩含水层,主要有大占砂岩、砂锅窑砂岩、田家沟砂岩、平顶山砂岩和金斗山砂岩等。由于山西组和上、下石盒子组属于陆相环境,几乎没有具有一定水文地质意义的海相灰岩沉积。各开采煤层的直接或间接顶板以及直接底板均为砂、泥岩互层,特别是上、下石盒子组各开采煤层与下伏的太原组和本溪组的各薄层灰岩和奥陶系巨厚灰岩相距较远。因此,各开采煤层的矿床水文地质条件比较简单,几乎不存在底板岩溶-裂隙水突水问题,仅有水量较小的顶板砂岩裂隙充水问题,如新密煤田、确山煤田、永夏煤田。据永夏煤田勘探资料,山西组砂岩裂隙含水层岩相变化较大,裂隙发育不均,单位涌水量为 $0.001\sim0.711$ L/(s·m),渗透系数为 $0.002\sim0.800$ m/d,水化学类型属于 SO_4—Na 型。各含水层皆被厚层泥岩、砂质泥岩所隔，为互无水力联系的单一含水层，水量有限，水压不高，除少数构造破坏外，一般防治较为简单。在河南地区普遍采用掘进疏放效果很好，因而煤层顶板砂岩防水不是难题。

(二)煤层底板灰岩含水层特征

河南省煤田主采煤层二煤组底板灰岩含水层可分为石炭系太原组(C_3)岩溶裂隙含水层和奥陶系(O)灰岩岩溶裂隙含水层。

1.豫西地区底板灰岩含水层特征

豫西地区主采二$_1$煤层，底板太原组共含 9 层灰岩，其中第7~第8层灰岩($L_{7~8}$)及第 1~第 4 层灰岩($L_{1~4}$)较发育，层位稳定且为合层。$L_{7~8}$灰岩合层厚 8~12 m，上距二$_1$煤层底面 8~10 m。钻孔及巷道揭露岩溶裂隙及含水溶洞发育，但极不均匀，突水时以消耗静储量为主，是矿井直接充水含水层。钻孔抽水试验结果为：$q = 0.004\ 87 \sim 0.25$ L/(s·m)，$K = 0.009\ 1 \sim 0.06$ m/d。$L_{1~4}$灰岩合层厚 10 m 左右，上距二$_1$煤层底面 60 m 左右，钻孔揭露岩溶裂隙及含水溶洞发育，但不均一。钻孔抽水试验结果为：$q = 0.004\ 91 \sim 1.65$ L/(s·m)，$K = 0.036\ 2 \sim 6.58$ m/d。

O_2灰岩岩溶含水层为二$_1$煤系基底，裂隙与溶洞发育。豫西新密煤田杨家洼井田曾揭露 8.8 m 高的溶洞。钻孔抽水 $q = 0.000\ 16 \sim 3.71$ L/(s·m)，$K = 0.000\ 26 \sim 6.37$ m/d，突水性强，但不均匀，是矿井间接充水含水层。

$L_{7~8}$灰岩离二$_1$煤层最近，采区底板采动裂隙(深度一般为 10 m 左右)常常波及该含水层，是煤矿井田的直接充水水源。$L_{1~4}$、O_2灰岩岩溶含水层因距二$_1$煤层较远，一般不直接向矿坑突水。通过大量突水实例分析，浅部开采目前尚未发生 $L_{1~4}$、O_2 岩层突水。但随着开采深度的增加，特别是当采掘活动揭露大的断层时，将可能发生灾害性突水，甚至淹井。

豫西平顶山矿区主采下二叠统山西组己$_{16\sim17}$煤层,煤层底板下伏的太原组上段第 2 层灰岩 L$_2$(二灰),距煤层 13～25 m,厚度1.2～25.1 m。二灰岩溶发育,岩溶形态主要为岩溶裂隙和溶洞,富水性较好,是煤层底板的直接充水含水层。

2. 豫北地区底板灰岩含水层特征

豫北焦作矿区和鹤壁矿区主采二$_1$煤层的底板充水含水层为石炭系 L$_8$、L$_2$ 岩溶含水层和奥陶系岩溶含水层。奥灰上距二$_1$煤层一般为 95 m,广泛出露于山区丘陵,直接接收大气降水补给,富水性极强,是其他各含水层的总补给源。L$_2$ 灰岩平均厚 12 m,溶隙、溶洞发育,与奥灰相距仅 10 m 左右,两者水力联系十分密切,是井田强含水层之一。L$_8$ 灰岩平均厚 8 m,上距开采二$_1$煤层一般为 30 m,下距 L$_2$ 灰岩 40～45 m,是矿井的直接充水含水层。L$_8$灰岩在正常情况下出水量有限,一般为 10～30 m^3/h,但有其他强含水层补给时,则可能发生恶性突水事故。焦作矿区九里山煤矿突水强度最大可达 3 226 m^3/h,给矿井安全带来了极大隐患。

3. 豫东地区底板灰岩含水层特征

豫东永夏矿区主采山西组二$_2$煤层,底板太原组含水层共含灰岩 11 层,总厚度超过 70 m,其中 L$_{11}$、L$_8$、L$_2$ 沉积较稳定。L$_{11}$灰岩平均 1 m 多厚,上距二$_2$煤底板为 40～65 m,平均为 50 m,对矿井突水不构成威胁;L$_8$ 灰岩平均厚 10 m,上距二$_2$煤底板平均为 80 m,富水性较强,是矿井的主要充水含水层。各层灰岩岩溶裂隙发育不均,多被泥岩、钙质泥岩分割,富水强弱不同。地下水运动以水平侧向运移为主,垂直越流补给为次。单位涌水量 q 为0.001～2.870 L/(s·m),渗透系数 K 为 0.005～7.470 m/d,水化学类型为 SO$_4$－Ca＋Na 型,矿化度为 2.0～3.3 g/L,水温为 30～35 ℃。巷道涌水量一般为 120～200 m^3/h,目前最大达 500 m^3/h,给矿井安全生产带来一定威胁。

奥陶系岩溶含水层距二$_2$煤底板 210 m 左右,平均厚度为 400

m。永城隐伏背斜轴部奥陶系灰岩大面积隆起,直接被新生界地层覆盖,走向与背斜轴向一致,岩溶裂隙的发育随深度的增加而减弱,部分被泥质、钙质充填。受构造的控制,奥陶系岩溶含水层富水性很不均一,但接受大气降水的补给量较大,主要以潜流形式向远方排泄,并对太灰含水层进行越流补给,是矿井突水的主要补给水源。单位涌水量 q 为 $0.002 \sim 3.560$ L/(s·m),渗透系数 K 为 $0.009 \sim 6.220$ m/d,水化学类型为 $SO_4 - HCO_3 - Na$ 型,矿化度为 $1.05 \sim 3.70$ g/L,水温为 $18 \sim 32$ ℃。

(三)煤层底板隔水岩组分析

隔水岩组一般是指煤层顶、底板隔水岩层组合,而二₁煤层底板直接隔水层则是指该煤层底面至太原组最上层灰岩(L_8)之间的砂泥岩层,主要由粉砂岩及泥岩组成,岩性致密、坚硬、完整性好,层位稳定,一般厚 10 m 左右。该隔水层在河南省煤田发育稳定,是当地矿井最主要和最有效的隔水层。

太原组中部砂泥岩段岩性为砂质泥岩、泥岩与粉砂岩。厚度为 $20 \sim 30$ m,层位稳定,分布连续,透水性弱,为太原组上部灰岩段与下部灰岩段之间的隔水层。

本溪组岩性为灰色铝土岩、铝土质泥岩,结构致密、坚硬,裂隙不发育,层位稳定,厚度一般为 $5 \sim 10$ m。通常情况下,本溪组岩层成为太原组灰岩与下伏奥陶系含水层之间的隔水层。

古老变质岩隔水层包括太古界登封群、下元古界嵩山群、上元古界震旦系等不同变质程度的片岩、片麻岩、石英岩、花岗岩等。该类岩层除风化带含微弱潜水外,一般为坚硬完整的基岩,透水性、含水性均差,常常构成区域性隔水边界。

二、区域构造特征

河南省位于华北古板块南部,南临秦岭—大别山造山带,东隔郯庐断层与华南古板块下扬子区相望,西北与新华夏系太行山隆起带接壤;构造上,处于稳定区与活动带之间的过渡区域。构造面貌和地质演化与华北古板块主体具有相同的基本特征。

河南省煤田位于华北晚古生代聚煤盆地南缘。后者是一个典型的板块内大型沉积盆地,其发生、发展和消亡的历程,同华北古板块与相邻板块之间的作用密切相关。在中生代早中期,华北板块与华南板块全面碰撞与拼贴,形成河南省南部的秦岭—大别山造山带收缩、隆起并且遭受剥蚀,从而构成以逆冲缩短为特点的华北型煤田(或河南省煤田)南部边界。同时,在板块内广阔的煤田分布地区形成以断陷伸展为特点的张性构造。两者在时间上演化交替,在空间上叠置共存(曹代勇,1993 年)。

煤田构造发育的区域特征对矿井水文地质条件的影响是显而易见的。构造因素本身是控制岩层含水空间发育的重要因素,它决定了储水构造的大小、水文地质单元的边界、含水层的出露与分布范围。而断裂发育程度、断裂本身的阻水性、导水性和其对矿井水害的控制作用也有区域性差异,影响着矿井水文地质条件。

根据地质力学观点,地处新华夏系太行山隆起带东侧和南侧的鹤壁矿区与焦作矿区,其煤系地层基底可溶岩沉积巨厚,倾角平缓,呈大面积展布,可溶岩裸露面积可达数千平方公里,属开启型储水构造。地质构造以断裂为主,褶皱次之。大多数断裂规模较小,不足以错断巨厚可溶岩层,但几乎所有矿区边界断层的断距都在 100 m 以上,足以使奥陶系含水层与太原组含水层发生一定程度的水力联系。此外,断裂构造本身就构成岩溶地下水的集中渗流带或强径流带,赋存其中的地下水往往以典型的华北岩溶大泉形式集中排泄。

位于小秦岭—嵩山东西构造带东段北侧、嵩山大背倾北翼的荥巩矿区和位于荥密背斜与禹密背斜间复式向斜构造中的新密矿区,也是河南省著名的大水矿区。前者为一单斜储水构造,后者为一向东倾伏的承压盆地。煤系地层基底可溶岩厚度中等,出露于背倾核部,面积达数百平方公里,开启程度为 0.21～0.25。区域岩溶地下水以泉或泉群溢出地表。

位于小秦岭—嵩山东西构造带和嵩淮弧形构造带复合部位的禹州矿区、平顶山矿区、韩梁矿区、临汝矿区和朝川矿区,区内褶皱与断裂发育。褶皱构造均为经历多期变形的短轴向斜或构造盆地,形成封闭或半封闭的承压储水构造。断裂构造多为扭性或压扭性,具有阻水性质。岩溶地下水在自低山丘陵补给区向平原排泄区运移中受断层阻隔,在地势低洼处呈区段排泄。由于煤系地层基底可溶岩厚度相对较薄,裸露面积小,储水构造开启程度差,所以该区岩溶地下水大气补给量小,渗流途径短,无岩溶大泉出露,且有沿断裂分布的特征。

由上述分析可知,水文地质区域特征不仅控制了矿区水文地质条件的复杂程度,还决定了矿区涌水量的大小与矿井突水的频率强度。

三、矿井水害分区特征

河南省石炭－二叠系煤田为典型的华北地台型煤田,根据主采煤层底板含水层的厚度、岩性、岩相、含水性及煤田构造特征,将其分为新华夏系太行山隆起带东侧与南侧矿井水文地质条件复杂至极复杂区、秦岭东西构造带东段北亚带北侧及与华夏系第二沉降带西缘复合部位矿井水文地质条件中等至复杂区、秦岭东西构造带东段北亚带南侧与嵩淮弧形构造复合部位矿井水文地质条件简单至中等区三个大区(李栋臣,1996 年)。

由于上述各区石炭－二叠系煤系地层水文地质区域特征的差异,造就了各自独立的水文地质条件和各不相同的水文地质问题。这无疑对河南省今后在上述地区从事煤田水文地质勘探、矿井水文地质类型的划分及地下水害的防治等均有指导意义。从理论上解释了同是石炭－二叠系煤田,同样开采山西组二$_1$煤层,焦作矿区矿井涌水量高达 89 m³/min、突水量高达 243 m³/min、突水频率高达数百次,而禹州、平顶山矿区则矿井涌水量仅为 80~350 m³/h,突水量仅为 30~120 m³/h。以上研究为矿井水文地质工作指明了正确的方向,同时为制订防治水害措施与方案提供了理论依据。

第三节 矿井水害形成机理分析

通过分析矿井水害现状和总结新中国成立以来历次突水淹井事故的经验、教训,河南省煤矿的水害事故根据其形成机理,可分成地下热水型、机械潜蚀型、裂隙型、岩溶型及构造型五种基本类型。下面对这五种类型水害的形成机理——进行分析。

一、地下热水型水害形成机理分析

地下水的流动过程,就是和周围介质进行长时间和长距离的热量交换的过程。地下水的比热远较各种岩石的比热大。在 15 ℃时,水的比热为 1,石灰岩为 0.16~0.23,砂岩为 0.19~0.22。岩层中含水量增大时,其比热也会随之增大。由于水的热容量大,流动着的地下水便成为良好的载热体和地温场中的传热媒介。地下热水的赋存与运动既决定了含水层本身的温度状况,又影响到周围岩层的温度分布,甚至在整个矿区形成热害。

矿区地热异常的实质就是地下热水在地下做深循环运动,即地下水在重力作用下由补给区向地壳深部地温等值线增值方向流动,在一定条件下携带着热量又向着地温等值线减值的地壳浅部方向流动(见表 1-1)。地下热水深循环的过程便是地下水不断降温,而围岩不断增温的过程。这种过程主要出现在排泄区和地下水交替十分强烈的地区,其结果是形成一定范围的正异常(高温、高梯度)。豫西地区的三李矿区、龙门矿区、新郑矿区、平顶山矿区都是热异常矿区,并有多处热泉沿断层出露地面(见图1-2)。热水点水温一般在40℃左右,龙门矿区04-5孔测得热水点的温度达51℃,新郑矿区二$_1$煤顶板大占砂岩的地温也达41℃。地下热害已经成为制约矿区开发的主要因素之一。

表1-1 地温梯度值与循环深度的关系

热水点	实测温度 (℃)	质量比数 $w(SiO_2)$	推算温度 (℃)	地温梯度 (℃/100m)	循环深度 (m)
三李18-14	38	34.0×10^{-6}	53.6	1.5	2 500
龙门04-5	51	39.2×10^{-6}	86.5	1.5	3 500

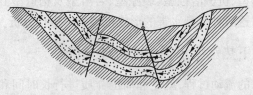

$\boxed{\diagdown}$1 $\boxed{\cdots}$2 $\boxed{\diagup}$3 $\boxed{\rightarrow}$4 $\boxed{\varphi}$5

图1-2 地下热水深循环示意图

1—隔水层;2—含水层;3—断层;4—地下热水流向;5—热泉

实践和理论研究证明:矿区地热异常完全受断层构造控制(宋士明等,1992年)。煤科院西安分院地温课题组运用有限单元法对平顶山八矿的地温进行了数值模拟,模拟结果显示,水文地质、构造地质是影响地温场分布的两个主要地质因素。由于深部含水层中的热水沿断层带上升,使断层上盘部分区域的岩温升高,地温异常带上宽下窄,影响范围与断层带中热水的温度和围岩的背景温度之差成正比,如图1-3(a)所示;在相反情况下,由于浅部冷水沿断层带下渗,降低了断层上盘的岩温,地温异常带上窄下宽,影响范围显然也与背景岩温值和断层带中热水的温度值之差成正比,如图1-3(b)所示。因此,治理矿区地下热水水害必须首先治理"热源断层"。

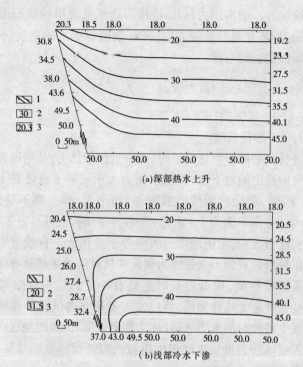

(a)深部热水上升

(b)浅部冷水下渗

图 1-3　断层控制矿井地温示意图

1—断层;2—地温等值线(℃);3—边界温度(℃)

二、机械潜蚀型水害形成机理分析

岩层中由于渗透水流的冲刷作用,将其中的细小颗粒带出冲走的现象称为机械潜蚀(或称流砂或管涌)。小颗粒被冲走后,岩层变得结构松散、孔隙度增大、强度降低,甚至形成空洞,最后可导致地下洞室围岩塌陷和大规模碎屑流事故。碎屑流多发生在颗粒不均的砂层中,但在坚硬岩石中的软弱夹层、泥化夹层、断层破碎带、含泥砂节理以及全、强风化带和由可溶盐类物质胶结的软弱岩石,也可能发生。机械潜蚀是由于渗透水流的动水压力作用于土颗粒而造成的。动水压力(G_d)是指渗透水流对单位体积固体颗粒的冲刷力,其方向与渗流方向一致,数值等于水的重度(γ_w)与水力坡降(I)的乘积,即

$$G_d = \gamma_w I = \gamma_w \frac{\Delta h}{L}$$

式中　Δh——水头差;

　　　L——渗径长度。

在评价井巷围岩渗透变形时,通常近似地认为:从第四系土层和断裂带中逸出的地下水,其动水压力大于或等于该处岩土的有效重度(γ')时,就会产生流砂或管涌;而小于 γ' 时,则不会发生。式(1-1)中 γ_w 常取值为1。因此,当 $G_d = \gamma'$ 时,也可写为 $I = \gamma'$。

在实际情况中,常出现水力坡降等于或稍大于有效重度时并不发生机械潜蚀现象。这是因为要发生机械潜蚀还必须有细颗粒逸出的通道或空间,构造岩有时还具有一定的结构联结强度 C 值。这些条件是无法计算的,所以常需要用室内试验或现场试验来确定发生潜蚀时的水力坡降(称为临界坡降)。豫西地区在第四系砂砾石层(Q_1)及断层破碎带中进行的野外管涌试验结果表明,临界坡降值均大于5.0。

岩土的渗透变形(即流砂和管涌)对矿井建设与生产构成极大威胁,如任由其发展,不仅影响围岩稳定,最终还会酿成碎屑流事故。位于河南省东部的永夏矿区城郊煤矿设计生产能力为2.4 Mt/a,区内第三系、第四系覆盖层巨厚,主、副井筒揭露其厚度为392~404 m。由于覆盖层内地下水位以下一般含有数十层的砂砾层,井筒施工遇其中任一层时,普遍发生流砂和淹井事故。后应用冻结法施工,并采用双层钢筋混凝土夹层复合井壁支护围岩,收到很好的效果。永夏矿区其他煤矿都有类似情况,如车集煤矿三$_1$煤层顶、底板砂岩裂隙含水层也同样发生过流砂、淹井事故。各矿

在通过该段含水层时都需进行预注浆封堵,既延误了建井工期,又增加了建井费用,矿建工作费时费力。

三、裂隙型充水水害形成机理分析

裂隙型充水是指二$_1$煤层顶、底板或附近诸砂岩裂隙含水层向矿坑充水。除河南省东部永夏矿区因瞬时突水量大以致严重影响建井外,其他矿区一般具有水量小、衰减慢、充水时间长的特点,给矿井生产也带来一定程度的影响。郑州矿务局大平煤矿 1982年建井,1986 年投产,设计能力 60 万 t/a。矿井主井深 251 m,穿过二叠系石盒子组和山西组地层。井筒为普通法施工,浇灌素混凝土井壁。由于井筒围岩淋水较大,建井时施工困难,井壁质量受到一定的影响。尤其井深 70 m 以下地段,到处可见麻面、蜂窝、狗洞,93 m 和 150 m 等处甚至存在不见灰浆地段。施工部门虽经过两次壁后注浆堵水处理,移交生产后,仍有 12～15 m^3/h 的淋水。

主井筒淋水主要分布在井深 30～245 m 处,水源为二叠系山西组二$_1$煤层以上砂岩裂隙水。井筒淋水一方面恶化了井筒内的工作环境,锈蚀提升设备;另一方面,淋水带着箕斗撒下的煤粉一起淤塞水仓,造成常年清仓不止,消耗大量人力、物力、财力,影响矿山的经济效益。

四、岩溶型突水水害形成机理分析

岩溶型突水是指煤矿在建设与生产过程中,巷道直接揭露底板灰岩含水层,或采区底板采动裂隙(深度一般为 10 m 左右)切割至岩溶含水层而造成矿井充水。矿井岩溶型突水在河南省表现为:煤层底板太原组 L$_{7～8}$(平顶山矿区为 L$_2$)岩溶含水层直接向矿坑充水,L$_{1～2}$、O$_2$ 灰岩岩溶含水层因距二$_1$煤层较远,一般不直接向矿坑突水。正常情况下,若与其他底板灰岩含水层无水力联系,L$_{7～8}$灰岩则突水机理简单,静水储量有限。其突水频率和强度在郑州矿务局裴沟煤矿随时间显示出典型的衰减趋势(见表1-2),矿井-110 m西大巷及采区皮带下山目前已在$L_{7\sim8}$灰岩中开掘,涌水量也均小于50 m^3/h。

表1-2 矿井$L_{7\sim8}$灰岩突水点统计

时间	地点	水源	涌水量(m^3/h)	原因
1988 - 04 - 01	西二改造大巷	$L_{7\sim8}$	25.0	施工放炮
1988 - 04 - 21	西二改造大巷	$L_{7\sim8}$	43.6	施工放炮
1989 - 04 - 27	11煤下山	L_8、L_9	5.4	底板变化
1990 - 02 - 26	-110东大巷	L_7	23.7	底板变化
1990 - 10 - 02	22下山下车声场	L_7	50.0	掘进
1991 - 04 - 27	-110东环水仓	$L_{5\sim6}$	48.0	掘进
1991 - 04 - 27	-110斜巷	$L_{5\sim6}$	30.0	掘进
1993 - 06 - 03	22101运输巷	$L_{7\sim8}$	37.0	遇断层
1997 - 03 - 12	34021运输巷	$L_{7\sim8}$	28.8	破底层
1999 - 04 - 07	32011运输巷	$L_{7\sim8}$	23.0	掘进
1999 - 04 - 05	34061炮采面	$L_{7\sim8}$	8.0	底板变化
2000 - 01 - 14	32回风下山	$L_{7\sim8}$	49.0	掘进

我国其他省份有些煤矿经常发生与煤层底板岩溶含水层有关的地质灾害——陷落柱。关于陷落柱的成因有多种说法。石膏岩溶陷落柱成因说认为,中奥陶统马家沟灰岩含多层石膏矿,在构造作用下聚集形成石膏盐丘,硬石膏水化后体积膨胀64%,强大的体积膨胀力对自身和上覆地层造成强烈挤压、变形和破碎。继而大量石膏溶解,同时硬石膏在水解过程中放出大量热量,加速了碳酸盐岩的溶蚀。由于地壳不均匀升降,抬升区地下水向深部流动,使膏溶作用和溶蚀作用不断发生与发展,形成地下空洞。在此条件下,破碎的顶板岩层不断崩塌陷落,经过漫长的地质历史时期和石膏岩溶作用,形成了陷落柱(见图1-4)。

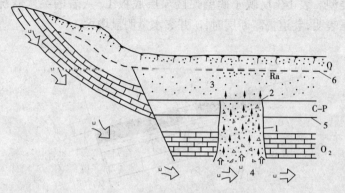

图 1-4　陷落柱形成机理示意图

1—地下水运移方向；2—陷落柱顶面；3—灰岩；4—陷落柱；5—煤层；6—潜水面

陷落柱突水是煤田危害性最大的水害之一，在我国华北地区石炭－二叠系煤层中多处可见到这一地质现象。1984 年开滦煤矿范各庄矿 2171 工作面的陷落柱大型突水，殃及 4 个大型矿井，损失惨重。机械化程度较高的东庞煤矿 2107 工作面，在掘进中遇到陷落柱，为安全起见，只好后退 60 m 另开切眼，进行回采，结果损失了一些可采煤。葛泉煤矿自建矿以来，已遇到十几个陷落柱，对矿井安全开采和新采区、新工作面设计造成了很大困难。

由此可见，陷落柱在煤炭开采中是一大隐患。搞清陷落柱的形成机理，研究其分布规律，圈定陷落柱范围，对煤矿安全生产具有非常重要的意义。

五、构造型突水水害形成机理分析

构造型突水又称断层型突水，主要是指由于断层构造上、下盘的相对运动，造成煤层直接与含水层对接，或由于构造破碎带造成各含水层之间的水力联系而引起的突水（见图 1-5）。这种类型的突水，水量大且速度快，最近几年的几次大规模的淹井事故都属此种类型。表 1-3 反映了鹤壁矿区煤层底板 L_8 灰岩的突水状况。数据表明,巷道揭露断层时,矿井突水量明显增大。

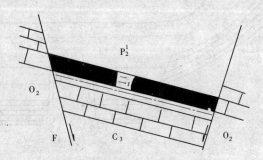

图 1-5　构造型突水水害形成示意图

表 1-3　鹤壁矿区 L_8 灰岩突(涌)水统计

突水类型	水量(m^3/h)		疏放情况
	最大	最小	
巷道揭露灰岩水	200	0.66	数月至 2~3 年内一般可被疏干
探放 L_8 灰岩水	228	3.5	有控制地疏水降压
张扭性断层导水	500	1.2	一般 1~2 年内可被疏干
张性断层导水	1 210	200	几天内渐减,1~2 年内可被疏干

　　断层构造破坏了岩体的完整性。断层带本身不仅赋存有大量地下水,成为矿井充水水源,它还能使各个被切割的含水层发生水力联系,形成充水网络。焦作矿区的九里山井田是构造型突水的一个典型。九里山井田为隐伏型煤田,单斜构造,倾向南东 150° 左右,倾角 10°~16°。区内发育有两组断裂构造:一组为北东东向,主要有马坊泉断层;另一组为北西向倾向断层,主要有方庄断层和魏南断层。上述两组断层均属张扭性高角度正断层构成的地堑型断块构造。九里山矿自 1982 年 8 月至今,已发生大于 5 m^3/min 的 L_8 灰岩突水 7 次。最大突水水量为 34 m^3/min,稳定

水量为 30 m³/min。7 个主要突水点均分布在矿井两翼的一、二采区回采工作面上。该地段是北东东向断层和北西向断层的交汇地段,各种规模的断层密集分布,常常使下盘二灰(L_2)和奥灰(O_2)含水层抬起,直接与现采块段的直接充水含水层 L_8 对接,或者与对盘的二叠系煤系地层相接触而引起突水。矿井虽经多年排水,水位最大降深约 90 m,但大部分煤层仍承受较大水压,特别是赋存在井田中部地堑构造下陷断块中的煤层,水压高达 3.50 MPa,矿井仍受突水威胁。

此外,顺层断层,特别是豫西重力滑动构造,也常常引起突水。以登封煤田、郜城井田为例,主滑动面位于煤层顶板的断层泥带(厚 0.03~1 m 不等),塑性大,韧性强,遇水则迅速泥化,但本身是较好的隔水层。根据钻孔抽水资料,该断层带 $q = 1.7 \times 10^{-5} \sim 5 \times 10^{-4}$ L/(s·m),$K = 6 \times 10^{-5} \sim 2.5 \times 10^{-3}$ m/d。可见二₁煤层顶滑动面基本不富水,且在天然条件下,对其上部滑体破碎裂隙带还起较好的阻隔作用。但是,一旦人工采掘揭穿断层泥,则对开采二₁煤层即构成极大威胁。

1980 年 6 月,郜城井田养钱池煤矿发生淹井事故,突水量达300~400 m³/h。数年排水资料证实,矿井水主要来自二₁煤层构造岩顶板。在郑州矿区有如此之大的顶板水实属罕见。这将预示着郜城井田在今后开采二₁煤层时,必须加强顶板管理,限制采动裂隙向上部破碎裂隙带发展。

在上述五种水害类型中,岩溶型突水和构造型突水对矿井的危害最大,造成的人员伤亡也最多。

第二章　矿井突水控制因素

分析河南省各矿区矿井突水规律与水害危害程度不难发现，矿井突水与矿区水文地质条件紧密相关。矿井突水频率、突水强度既与含水层、隔水层、煤层水文地质特征及其组合关系有关，又与矿区构造特征、矿山开采工艺、自然地理条件等因素有关。换而言之，含水层的厚度、富水性是决定矿井涌水量大小的内部原因，构造发育程度是影响矿井突水的外部条件，而开采工艺、自然地理条件则在一定程度上也可成为突水的控制因素。

第一节　含水层对矿井突水的控制作用

河南省煤系地层、煤系岩溶基底及其煤系覆盖层的沉积特征，尤其是可溶性岩石的岩溶发育规律，具有区域特点，常常成为控制煤矿床水文地质条件和地下水害的一个重要因素。

一、含水层岩性、厚度对矿井突水的控制作用

河南省侏罗系煤田基底沉积均为非可溶性岩层，含水比较少，对煤层开采不产生重大影响，矿井水文地质条件相对简单。石炭－二叠系煤系地层都以寒武系、奥陶系白云岩、白云质灰岩、纯灰岩为基底，它们均是区域强含水层，常常威胁着上部煤层的开采，是矿井发生重大突水的主要水源，故矿井水文地质条件相对复杂。

一般来说，基底可溶性岩层的厚度、岩性、岩溶发育程度的差异，可使不同矿区矿井水文地质条件的复杂程度有很大不同。就河南省石炭－二叠系煤田基底而言，岩溶含水层有如下变化规律：

禹州矿区、平顶山矿区基底缺失奥陶系石灰岩,主要由上寒武统崮山组和中寒武统张夏组白云质灰岩及鲕状灰岩组成,总厚度约300 m;新密矿区基底开始出现中奥陶统灰岩,厚度较薄,为20~100 m,但上、中寒武统可溶岩出露完整,总厚度400~500 m,其中岩溶较发育的含水层为中奥陶统马家沟组灰岩和上寒武统凤山组白云质灰岩;焦作矿区基底奥陶系灰岩发育齐全,厚度最大约500 m,共分3个含水层,上、中寒武统白云质灰岩、鲕状灰岩厚约300 m,奥陶系、寒武系灰岩总厚达800 m。上述可溶性基底分布趋势表明,其厚度由南西往北东方向增厚,岩性也由白云质灰岩变为纯灰岩,可溶性增强。这种空间变化特征正是河南省石炭-二叠系煤田矿区水文地质条件存在差异性的内在原因。

可溶岩基底对上覆煤层的影响程度还与其距煤层远近有关。位于太原组中的一$_1$煤层,其上有太原组第2层(L_2)灰岩,其下有奥陶系、寒武系可溶岩基底,隔水层较薄,属水文地质条件复杂的岩溶类煤田。河南省滞积的煤炭资源大多属于此类。二叠系下部山西组二$_1$煤层,距可溶岩基底80~110 m,在构造、岩相变化或其他因素影响下会发生矿井充水;对二叠系上部煤组而言,可溶岩基底离煤层甚远,矿井充水水源皆为碎屑岩裂隙含水层。

另外,尚有两种情况引起隔水层(组)厚度变化:一是煤系地层中煤层层位及可采性的变化,二是含水层与煤层厚度的变化。其结果都是使煤层远离或接近含水层,从而改变矿井充水条件。河南省煤田基底隔水层厚度变化规律为:由南端禹州矿区至北端鹤壁矿区,一$_1$煤层底部隔水层本溪组铝质页岩厚度从8 m增至32 m;二$_1$煤层底部隔水层山西组砂泥岩厚度则从10 m增至33 m。这就是河南省中、南部煤矿主要发生太原组$L_{7~8}$岩溶型突水,而北部煤矿主要发生L_2灰岩和奥陶系灰岩构造型突水的内在原因。

关于多层结构的含水层之间能否发生垂向上的水力联系,中国矿业大学(北京)武强教授认为,除了隔水体厚度、构造、水压和矿压等因素之外,还有一个更重要的影响因素,即隔水岩体的岩性组成。这一点虽然过去已注意到,但仅仅考虑了在没有构造影响的正常情况。诚然,在正常情况下,砂岩的隔水强度要比页岩强得多。但在构造破坏情况下,不同力学性质的岩性受力后所反映出的破裂特征就大不相同了。脆性的砂岩受力后以破裂形式释放应力,而塑性的页岩受力后以塑性变形释放应力。所以,在断裂带附近的砂岩层,构造裂隙发育,隔水强度大为降低。在正常情况下由砂、页岩组成的隔水岩体,在构造影响下,只有页岩层才是真正的隔水体。

初步研究发现,矿区范围内的岩性、厚度变化也会影响矿井的充水条件。如演马庄井田八灰与二灰含水层之间的隔水岩体的岩性组合在平面上具有一定的规律性,即从北向南,隔水岩体的砂岩比例逐渐增大,页岩比例逐渐减小,甚至消失。隔水岩体的这种岩性分布规律即是导致该矿南部多次大型突水淹井事故发生的重要原因之一。

二、含水层岩相对矿井突水的控制作用

华北型煤田石炭－二叠系通常为海陆交互相—陆相沉积,下部太原组地层一般含砂岩、泥岩及数层至十余层薄层灰岩。其厚度有如下变化规律:自禹州矿区至鹤壁矿区厚度由 60 m 增至近80 m;而 $L_{7\sim8}$ 厚度则由 $3\sim5$ m 增至约 10 m。对二$_1$ 煤层而言,$L_{7\sim8}$ 灰岩是直接充水含水层,充水灰岩的厚度、岩石类型、与煤层间的间距及太原组内灰岩、砂岩、泥岩相互间所占比例,直接关系到底板采动裂隙和含水层间的水力联系。如焦作矿区演马庄矿和九里山矿西翼采区皆因采煤工作面底板隔水层薄,采动裂隙构成突水通道,导致 $L_{7\sim8}$ 水沿裂隙涌入工作面而造成重大突水。可见,沉积岩相的变化是河南省不同矿区或同一矿区不同矿井水文地质条件差异性的又一反映。

三、新生界覆盖层对矿井突水的控制作用

新生界覆盖层的存在往往赋予矿井水文地质条件许多特点。新生界地层空隙发育且胶结松弛,是大气降水、地表水与煤系地层发生水力联系的中间媒介。若覆盖层呈现阻水或隔水性质,下部煤层的水文地质条件就趋于简单;反之,则趋于复杂。例如,焦作矿区九里山井田新生界地层下部的砂砾岩含水层,尤如地下水库直接悬挂在奥陶系及石炭系灰岩之上,以高水头对九里山矿强烈充水,水量之大在河南省乃至全国都是罕见的。又如,永夏矿区第三、第四系沉积物分布广泛,厚度为 $137 \sim 366$ m,平均厚 312.97 m,砂层(流砂层)总厚度在 $100 \sim 200$ m 之间,占全覆盖层厚度的 $30\% \sim 40\%$。巨厚的流砂层给矿山建设带来了极大困难,区内各矿井井筒都必须采用特殊的冻结法施工,既增加了投资,又延误了工期。

四、岩溶的分带性对矿井突水的控制作用

(一)双层水位理论的提出

岩溶的发育受多种因素的控制和影响。不同地区自然条件差别很大,即使在同一地区的不同部位,其水交替条件和水的溶蚀能力也不完全一样。因此,岩溶的发育和空间分布十分复杂。地表附近,由于岩石风化裂隙发育,地下水直接受含有大量 CO_2 的大气降水补给,并沿地表水文网排泄,故水的循环交替和溶蚀作用强烈,有利于岩溶的发育。越向地下深处,岩层的裂隙逐渐减少,水循环交替作用变慢,水中的 CO_2 不断消耗,水的溶蚀能力逐渐减小,岩溶发育程度越来越弱。在厚层质纯的可溶性岩中,岩溶发育随着深度的增加而逐渐减弱的现象最为明显。20 世纪 80 年代初,中国地质大学(北京)田开铭教授首次提出了"双层水位"的概念,并得到了山东金岭铁矿开采实践的验证,体现出了很高的实用

价值及显著的经济效益。

"双层水位"，即上层水位高挂，下层水位随开采而不断下降。为什么在同一含水介质中，会出现水头悬殊的双层水位呢？开采实践表明，在某些岩溶矿区，开采形成的双层水位不仅存在，而且已拉开了 100 m 之多。双层水位之所以能形成，主要取决于含水介质空间上特有的渗透性特征。田开铭、董岳泰在山东金岭铁矿（矿体赋存于燕山期火成岩与中奥陶统厚层灰岩之间）实测了灰岩含水介质裂隙渗透性随埋深的变化情况。

测量结果表明，灰岩含水介质的垂向（近垂向）渗透主值 K_N^O 随埋深的衰减速率大于水平（近水平）渗透主值 K_H^O 的衰减速率，这样在一定深度（Da）处两曲线必相交。以 Da 为界，巨厚含水层被分为上、下两段，上段渗透主值 $K_N^O > K_H^O$；下段则转变为 $K_N^O < K_H^O$（见图 2-1），即在灰岩埋深 Da 处，上、下灰岩裂隙的各向异性特征发生了显著的变化。

正是由于裂隙介质在剖面上有上述特征，因而当 Da 深度以下排水时，水平方向渗透性好，地下水能较快地排走，垂直方向地下水补给较慢，长期排水则使原统一水体被逐渐拉开，其间出现非连续流，从而形成了双层水位。

双层水位的形成机制还可用田开铭教授提出的裂隙水偏流理论作如下解释。

在隙宽不等的裂隙水交叉流中，主要的水力特征是窄缝中的水流向宽缝偏向和偏流，即裂隙渗透性的大小主要受隙宽控制，如单个裂隙中的渗透系数 K 为

$$K = \frac{gb^3}{12r} \tag{2-1}$$

式中　b——隙宽；

　　　g——重力加速度；

　　　r——水动力黏滞系数。

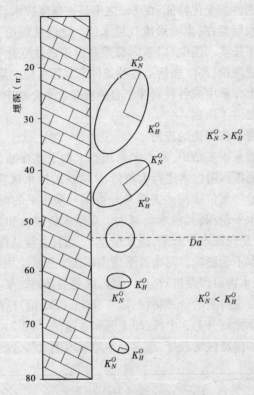

图 2-1　双层水位形成示意图

故这里将 Da 以下的裂隙介质概化为裂隙网络理想模式。

由于在 Da 以下，水平渗透性大于垂向渗透性，当 Da 以下某一深度排水时，垂向裂隙中的水每过一个交叉点就要向水平裂隙中偏流一部分，直到某一深度处单位时间内单位体积中向下的流量小于下面相对应单位体积裂隙率时，则该深度以上为连续流，以下出现非连续流，从而形成了双层水位。若垂向裂隙有微小错动，双层水位则更易形成。

田开铭教授认为，只要在同一裂隙含水介质中，发现有上述的裂隙介质渗透性的变化特征,在 Da 之下某一深度排水,即使无隔水层或弱透水层存在,也可形成双层水位。这已从理论上及开采实践中得到了证实。因此,以垂向裂隙介质渗透性变化为主线的双层水位形成理论,高度概括了各种条件下双层水位的形成机制,为在同一含水介质中或各种岩性组合的统一含水介质中应用双层水位开采法提供了依据。

(二)双层水位理论的应用

在常规的采矿实践中,基本上采用自上而下逐步疏干降压的开采方法。而勘探阶段常进行大流量、大降深的抽水试验,利用抽水试验中流量和水位降深的关系来外推某开采水平的涌水量,其结果是开采水平越深,其涌水量越大。双层水位理论和岩溶区采矿实践表明:越向深水平开采,涌水量越小;而且直接从深部疏干,浅部水位基本不受影响。河南省平顶山矿区十三矿应用双层水位理论,对矿井水害沿深度进行分区治理,收到很好的效果。该矿区根据岩溶发育垂向上的分带特性,以 −300 m(Da 值)标高为界将该水文地质单元划分为 2 个区,即 Ⅰ 区和 Ⅱ 区(见图 2-2)。Ⅰ 区二灰的富水性和渗透性均较好,蕴含有本单元内绝大部分的静储量,

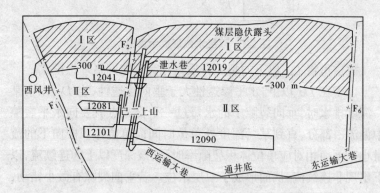

图 2-2 平顶山矿区十三矿二灰水防治分区治理平面图

未来突水的几率大,危害也大;Ⅱ区内岩溶不甚发育,富水性和渗透性均较差,静储量有限,危害较小。

表 2-1 为以岩溶发育的 Da 值为界,采用廊道汇水法预测在各带突水时涌水量的计算结果。

表 2-1 廊道汇水法预测涌水量计算表

岩溶垂向分带	渗透系数 K （m^3/d）	降深 S （m）	至上补给边界距离 R （m）	涌水量 Q （m^3/h）
−110m 以上	8.576	54	220	1 308
−110～−300m	3.558	244	500	1 079
−300m 以下	0.084	469	1 100	22

注:含水层厚度为 9.94 m,水文地质单元宽度为 3 000 m。

由计算结果可以看出,若二灰在 −110 m 标高以上突水,突水量达 1 308 m^3/h;在 −110～−300 m 之间突水,突水量可达 1 079 m^3/h,水量很大。但在 −300 m 以下突水,最大突水量只有 22 m^3/h,水量小,不会危及到安全和生产。

根据矿区岩溶分带性特征,矿井采取了相应的防治措施:在Ⅰ区主要做泄水巷并配合钻孔放水,采取疏排绝大部分静储量,来减轻上部二灰水对下部采区的压力;在Ⅱ区主要是自然疏放,采取以排为主、以探为辅的治理原则,在局部富水区域打钻疏放,降低水头,排出正常涌水。

由于采用了科学的、经济的分区治理方法,平顶山矿区十三矿已开采区域的灰岩水得到了有效的防治。从试生产至今,全矿共安全采出受二灰水威胁的煤炭 222.5 万 t,创经济效益总额 5 785 万元,成为河南省煤矿应用双层水位理论取得显著经济效益的一个典范。

第二节 地质构造对矿井突水的控制作用

一、河南省煤田构造特征

河南省煤田构造研究由来已久。近半个世纪的勘探实践和理论研究表明,以掀斜断块为主要标志的伸展构造和沿盖层中软弱层位发育的重力滑动构造,是河南省煤田尤其是豫西煤田内最富特色的构造现象(李万程,1979 年;马杏垣,1981 年;王昌贤,1984年;曹代勇,1985 年)。两者与早期形成的宽缓褶皱一起构成矿区盖层的构造骨架。

(一)断块掀斜

断块掀斜是指"被断裂围限或切割的断块,在应力场由挤压变为引张的条件下,由于控制断块的主要断裂性质的变化,导致断块一侧掀起、另一侧倾斜的运动"(杨振德,1983 年)。而掀斜断块则是指"被断裂切割的地质块体,这些断块体在引张应力的作用下,沿正断层(同生断层)掀起、倾斜,重力滑动而形成的特殊构造"(谭试典,1978 年)。由上述定义可以看出,断块掀斜或掀斜断块与Wernicke(1982 年)提出的伸展性正断层分类中的旋转类相似,是一种重要的正断层形式的伸展构造类型。

豫西煤田内部的断层构造按其倾角大小可分为两类,一类是缓倾角—顺层滑脱断层,另一类为高角度正断层。高角度正断层浅部断面倾角达 50°~60°,除五指岭断层和嵩山断层尚保留少量逆冲外,其余均表现为引张机制下由上而下运动、造成地层缺失的正断层性质,既不同于河南省南缘存在的属于秦岭—大别山造山带的逆冲推覆构造带,也不同于河南省北缘存在的新华夏系太行山挤压隆起带。按其走向又进一步划分为东西向、北西向和北东向三组,其中前两组规模大,是盖层主干构造。

上述断层系统把豫西煤田地区分割为6个主要断块和1组北东向次级断块(见图2-3)。早期褶皱形态几乎被破坏殆尽,仅局部地区保留了转折端残余。断块平面形态严格受断层控制,北东向断层组起到重要的分划性作用,大体以其为界。西嵩山断块、五指岭断块和箕山断块呈东西向展布和北东向展布,边界断层南倾,断块主体北倾。北东向断层组以东的禹县断块和襄城断块呈北西西向展布,边界断层倾向北东,断块倾向南西。

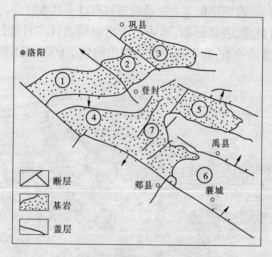

图 2-3 豫西煤田断块格局示意图

1—西嵩山断块;2—东嵩山断块;3—五指岭断块;4—箕山断块;
5—禹县断块;6—襄城断块;7—云盖山次级断块组

(二)重力滑动构造

"重力滑动构造"术语的提出历史悠久(Lugeon,1900 年;Ampfer,1906 年),始于对欧洲阿尔卑斯山脉和侏罗山的研究(Bertrand,1887 年;Schardt,1983 年;Buxtorf,1916 年)。索书田教授(1987 年)在论述中国东部中、新生代裂陷作用和伸展构造时曾指出,"在挤压环境中由下而上运动造成地层缩短效应的推覆

(nappe)和在伸展环境中由上而下运动造成地层伸长效应的滑覆(gliding nappe),均属于滑脱构造(detachment)的范畴"。

煤田重力滑动构造的一般成因模式为:"界面发育、具有软弱夹层的岩体,在地下水浮力效应的托浮下,在合适的斜坡上,再有其他因素触发诱导,经重力下滑力的长期作用,岩体逐渐滑移、蠕动、流变,形成各式各样的重力构造"(王桂梁,1983 年)。重力作为一种体力,参与地球的构造运动,在塑造各类构造中起着重要作用(马杏垣,1984 年)。豫西煤田重力滑动构造具有以下基本特点。

(1)数量多,密集分布,形成一个滑覆构造区。目前已发现十余个重力滑动构造,几乎遍及豫西煤田的各个矿区(见图 2-4)。

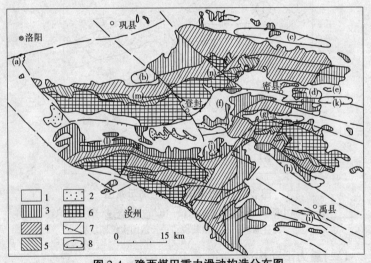

图 2-4 豫西煤田重力滑动构造分布图

1—上第三系至第四系;2—下第三系;3—上古生界至三叠系;4—下古生界;
5—上元古界;6—太古界至下元古界;7—逆冲断层;8—重力滑动构造;(a)—洛阳龙门;(b)—偃龙夹沟;(c)—荥阳崔庙;(d)—密县杨家洼;(e)—密县任岗;(f)—芦店;(g)—新密大冶;(h)—禹县蔡寺;(i)—禹县梁北;(j)—登封圈门;(k)—曲梁;(l)—暴马;(m)—五佛山;(n)—林台山

（2）重力滑动与逆冲推覆互为消长关系。逆冲推覆作用向北减弱，而代之以伸展掀倾和重力滑动。后者主要展布于豫西煤田嵩山两侧。

（3）重力滑动构造规模不等，运动方向各异，成因不一，由各自所处构造部位决定。

（4）所有的重力滑动构造的主滑脱面均属缓倾角正断层性质，造成地层缺失效应。

（5）煤田中的滑动构造均见于煤系地层及煤系盖层中，尤其以沿河南地区主采煤层二$_1$煤及其附近发生者数量最多、规模最大；而林台山—大岭重力滑动构造和五佛山重力滑动构造则分别发生于下古生界与上元古界之间和盖层与变质基底之间。由此显示了滑脱构造的多层次性。

河南省煤田上述构造特征，与我国其他地区相比，具有独特之处。断块掀斜的张裂作用使含煤岩系变得岩石破碎、裂隙密布，为岩溶的发育和地下水的赋存创造了有利条件。尤其是沿煤层发育的重力滑动构造，直接造成矿体构造破坏和"三软"（软顶、软底、软煤）煤层的形成，严重威胁矿井安全生产。

二、褶皱构造对矿井突水的控制作用

褶皱构造对矿井突水的控制作用首先表现为：褶曲两翼地层倾角的大小决定了含水层的出露面积和分布范围。两翼地层的倾角越缓，出露的面积越大，地下水大气补给量越大，矿井突水就越严重（见表2-2）。

其次，一定规模的褶皱构造可以在一定范围内形成一个完整的水文地质单元，它包括地下水的补给区、径流区和排泄区。位于郑州矿区的新密复向斜就是褶皱构造控制矿区水文地质条件的一个典范。

郑州矿区北、西、南三面环山，向东则开阔平坦，似一箕形盆

表 2-2 可溶岩裸露程度与突水量统计表

矿区名称	裸露区 （km²）	分布区 （km²）	开启 程度	泉水流量 （m³/s）	最大突水量 （m³/min）
安阳矿区	289.0	604.0	0.478	1.45～2.23	24.40
鹤壁矿区	545.0	1 313.0	0.415	6.43～8.43	225.00
焦作矿区	1 073.0	1 592.0	0.670	10.00～13.00	320.00
荥巩矿区	264.8	780.0	0.250	2.26	60.50
新密矿区	168.5	811.5	0.208	2.21	75.25
朝川矿区	15.0	130.0	0.110	<0.30	17.40

地。盆地南、北两侧为构造侵蚀型中、低山区，山地标高＋500～＋1 215.9 m，年平均降水量为 630 mm。矿区总体构造形态为一走向近东西、向东倾伏的复式向斜，北、南两侧分别为荥密背斜和龙坡寨背斜。区内位于倾伏复式向斜两翼的纬向断裂构造十分发育，北翼牛店断层和南翼大隗断层均为延伸数十公里以上的正断层，构成煤田中部地堑式断块构造。

本区地下水总体上是沿褶皱轴向自西北向东南流动。南、北两背斜核部与向斜构造间的过渡地带广泛出露寒武系白云质灰岩、奥陶系灰岩和石炭系薄层灰岩，是该地区的地下水补给区。大气降水渗入岩层后，在重力作用下从南、北两侧分水岭部位向盆地中部运移，形成侧向流。当地下水沿南北向水头最大降深方向运动时，受到东西向顺层断裂构造（北翼牛店断层和南翼大隗断层）上盘隔水层的阻挡而改变其流向。盆地内统一地下水体在超化乡樊寨村以东形成两个地下水径流带：盆地北侧，由矿区中心区经裴沟、芦沟至曲梁以东地区，地下水天然水位依次为 173 m、170 m、168 m（1991 年资料），形成北径流带；盆地南侧，西部大冶至刘碑一带处于分水岭部位，水位标高＋230 m，向东经大平、超化至新郑以东地区,地下水位依次为 197 m、170 m、120 m(1991 年资料),形成南径流带。

区内地下水排泄方式主要有人工排泄和天然排泄。人工排泄以工矿企业供水和矿井疏排为主,天然排泄则以泉群的形式出现。目前,由于人工开发和矿井疏排的影响,地下水区域水位普遍下降,枯季大部分泉群干涸。在位于矿区东部新郑勘探区的八千背斜轴部,大片灰岩隐伏露头直接被新生界覆盖,成为岩溶裂隙承压水汇入上覆第四系孔隙潜水的通道。

本区岩溶发育受褶皱构造控制,发育深度自西向东逐步加深。新密复向斜抬起端即矿区西部、西北部和西南部位于分水岭或邻近分水岭地带,该地带地形高差大,地下水沿裂隙作垂直运动,岩溶发育大部呈裸露形式,平均标高已大于当地排泄基准面;位于新密复向斜倾伏端的东部平原区岩溶呈埋藏形式,地下水沿裂隙作水平运动,岩溶裂隙发育标高为 ±0～－300 m,向深部逐渐减小(见表 2-3)。

表 2-3 矿区岩溶发育标高一览表

	矿(区)名	大平		超化		苟堂		新郑	
南径流区	含水层	O_2	$\in$	O_2	$\in$	O_2	$\in$	O_2	$\in$
	标高(m)	$-50～$ $+20$		$-265～$ -175		-80		-540	
	矿(区)名	米村		局中心区		裴沟			
北径流区	含水层	O_2	$\in$	O_2	$\in$	O_2	$\in$		
	标高(m)		$+10$	$+140$	-145 $～-12$	$+150$	-157 $～-7$		

本区褶皱构造还控制着岩溶地下水的径流和富集。复式向斜内次级背斜轴部一般发育纵张裂隙,既有利于地下水活动和岩溶

作用的进行,又往往形成相对富水地段。发育在荥密背斜轴部的圣水峪泉就是一个很好的例子,其流量曾达 $0.663 \, m^3/s$。此外,背斜构造的倾伏端也是地下水的富集部位,位于超化背斜东倾伏端的超化泉群流量也曾达 $1.03 \sim 2.05 \, m^3/s$。向斜构造轴部情况比较复杂,中性层以上地层受挤压后呈密实状态,岩溶发育程度差;中性层以下岩层受拉张后呈破碎状态,岩溶发育往深处延伸。位于新密复向斜近轴部抬起端的超化煤矿,奥灰发育标高深达 $-265 \, m$,矿井深受奥灰水害威胁。

三、断层构造对矿井突水的控制作用

随着近年来矿井开采的实践,断层构造对矿井突水的控制作用逐步为人们所认识。河南省煤田盖层构造的断块掀斜作用,导致了岩体的伸展运动和拉张变形,在地层内部制造出大量空隙,因而对矿区水文地质条件最具有控制意义。大量突水事例表明,断层构造往往是各种水源进入矿井的直接通道,它能引发矿坑突然涌水甚至大规模淹井事故。因此,研究断层本身的水理性质(持水性、给水性、透水性)及其时间效应都是非常有意义的。

众所周知,断层的透水性主要受断层的力学性质、两盘的岩性条件、构造岩胶结程度、构造岩抗压强度、断层带静水力与动水力的大小及采矿活动等因素的影响。河南省煤田内断层的透水性及对水害的控制作用应从上述诸因素进行综合分析。

(一)断层力学性质对矿井突水的影响

压性或压扭性断层常形成断层泥和伴生剪节理,断层带平直且比较致密,透水性弱。豫北鹤壁矿区的断裂构造大多属此类型。如一矿西大巷揭穿落差约 80 m 的 F_8 断层,该断层带宽仅为 2 cm,青灰色断层泥致密坚硬,无任何渗水现象,因而被大巷顺利通过。

张性或张扭性断层常形成构造角砾岩和伴生张节理,断层带宽且比较疏松,透水性好。特别是多组断层的交汇地带往往赋存丰富的地下水。豫西新密矿区发育东西向、北西向和北东向的三组高倾角张性断层,最大断距达 1 500 m,对地层的切割十分强烈。断层带或断层交汇带极为富水,如灰徐沟翻花泉群就出露在北东向灰徐沟断层与东西向铁匠炉断层的交汇处,泉水流量达 0.156 m³/s。超化矿生活区 4 号水井就是布置在樊寨断层与河西断层交汇处,在 378 m 处遇断层破碎带,断层水可满足 2 000 m³/d 的供水需要。

(二)断层上、下盘岩性对矿井突水的影响

豫西煤田的断层构造,具有其上盘在掀斜作用下作旋转伸展运动的特征。正断层上盘近断面一带张应力集中,岩性破碎,裂隙密布。位于新密矿区南缘的月湾断层,在河南省密县平陌—超化一带广泛出露。该断层下盘震旦系红色粉砂岩岩性极为坚硬,无任何构造变形迹象。而上盘 P_2^1 上石盒子组泥质粉砂岩强烈破碎,张裂隙密度为 12 条/m,破碎带宽度达 120 m。断层上、下盘这种构造变形的强烈差异,使得断层上盘岩性破碎或岩溶充分发育,为地下水富集创造了外部条件。郑州矿务局的五里店正断层、染匠沟正断层和樊寨正断层,其上盘破碎带都极其富水。巷道揭露上述断层的上盘后,矿井随即发生灾害性淹井事故,突水量分别为 1 400 m³/h、800 m³/h 和 1 724 m³/h。义马矿务局新安煤矿主要边界断层也属于这种情况。如新安井田西部的 F_{58} 正断层,上盘十分富水,有泉水出露,流量为 694.8~1 360.8 m³/h,下盘 001 孔抽水试验 $Q = 0.014$ m³/h,基本不含水。河南省煤矿几乎所有大规模突水、淹井事故均发生在正断层上盘断面附近,这一重要规律已逐渐被应用于矿区治水和找水的实践之中。

此外,断层两盘的岩性也影响着地下水的富集。当断层两盘都是坚硬脆性岩石时,断层带的破碎程度就会相对变大。郑州矿务局王沟煤矿工业广场水井终孔层位为 F_1 断层带,断层两盘均为坚硬的奥陶系灰岩,断层水水量十分丰富,在水位降深 4 m 时,就出水 8 200 m³/d(见图 2-5)。当断层一侧为坚硬岩层、另一侧为软弱岩层时,断层带的破碎程度就会相对变小,透水性也会变弱。当断层两盘均为软弱岩层时,则断层会呈现弱透水甚至隔水性质。

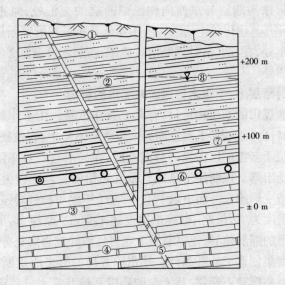

图 2-5 王沟矿水井剖面图

1—松散土层;2—页岩及砂岩;3—灰岩;4—白云岩;
5—断层带;6—铝土岩;7—煤层;8—地下水位

(三)断层带岩体强度对矿井突水的影响

断层带导水与否,都是以一定的水压力为条件。换言之,地下水在渗流过程中对含水层的作用力即动水力是矿井断层突水的触发因素之一。矿坑对断层破碎带的揭露,改变了围岩的应力状态。地下洞室周边首先产生应力集中带,使得强度本来就很低的构造碎屑发生剪切破坏,从而形成一定范围的塑性圈。随着地下水原始渗流场边界条件的改变,当地下水动水力满足一定条件时(即 $G_d = \gamma'$),断层破碎带就会发生其特有的矿井水害最高形式——

碎屑流事故。

矿井碎屑流灾害的形成大致分为两个过程:第一,断层带中的构造碎屑胶结微弱,抗剪强度低,在地应力作用下逐渐破碎,岩体力学性质向土颗粒力学性质转变;第二,当渗流场水力坡度大于临界水力坡度时($i_{cr} = \gamma' / \gamma_w$),构造碎屑将被地下水带出岩体空洞形成碎屑流。

郑州矿务局王庄煤矿的 45081 工作面于 1999 年 4 月 7 日从运输大巷向北开口进巷,在 65 m 处第三次揭露 F_8 断层,该揭露点的 F_8 断层产状为:走向 300°,倾向 210°,倾角 80°,断层落差 14 m (见图 2-6)。4 月 25 日,断层带开始出水,并伴有巨大响声,初始涌水量 40 m^3/h,水中夹带大量泥砂碎屑,呈黄褐色浑浊状。6 月 1 日 11 时,水量逐渐增大,最大涌水量为 324 m^3/h。6 月 4 日,水量逐渐趋于稳定(220 m^3/h),水质开始变清。矿井总涌水量接近最大排水能力,严重威胁矿井安全生产。

从整个突水过程看,突水开始前几分钟,断层带发出巨大的响声;突水初期,水中夹带大量泥砂,水色浑浊,呈土黄色,水量由小到大;经过一定时间后,突水量逐渐减小并很快趋于稳定。以上现象正好说明了矿井地下水机械潜蚀的突水机理:①在强大的水头压力及矿山压力的共同作用下,断层带应力不断集中并达到极限状态,岩体破坏时伴随着巨大响声而发生应力释放;②灰岩裂隙及断层带中的碎屑颗粒在动水力的作用下产生渗透变形而形成碎屑流;③奥陶系灰岩空隙中的颗粒被带走后,水量逐渐增大并趋于稳定。

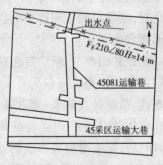

图 2-6　王庄煤矿 45081
工作面突水示意图

登封煤田郜城井田芦 F_1 断层为一北倾高角度正断层,上盘为下三叠统圈门组紫红色含砾泥岩,直接覆盖在下盘下二叠统山西组灰黑色砂质泥岩之上,构成井田南部边界。断层带中的张节理、断层角砾岩和断层泥分带明显,总厚超过 80 m。来自于断层上盘 T_1 地层中的断层泥,遇水迅速泥化,抗压强度不足 5 MPa,工人反映"红石头比煤软"。1979 年登封县牛店乡养钱池煤矿建井一对,井筒开挖至红色的构造岩软弱层时(T_1^2),即发生大规模的井筒碎屑流和突水事件,共计土石方 150 m³,井筒最大出水量 400 m³/h,最终导致主副井报废。

(四)断层的时间效应对矿井突水的影响

工程试验和实践表明,岩石和岩体均具有流变性。特别是软弱岩石、断层破碎带及碎裂结构岩体,其变形的时间效应明显,蠕变特征显著。有些断层突水,往往不是荷载过高,而是在应力较低且不变的情况下岩体即产生了蠕变。因此,当采矿活动引起矿压变化时,断层带的水理性质会伴随着巷道的冒顶、底鼓、片帮等的变形而发生变化。

郜城井田芦 F_1 断层带在勘探阶段并不富水,经抽水试验知,断层带寒武系层位 q 仅为 0.1 L/(s·m)。矿井投产后布置卸载坑检查孔,断层带奥陶系、寒武系石灰岩含水层 q 达 2 L/(s·m),有一孔竟达 73 L/(s·m)。有的断层甚至在采掘工程穿过其本身一段时间后,发生滞后突水。例如,鹤壁五矿南翼二水平中间下山,在穿过 F_{304} 一小分支断层(落差 0.4 m)数日后,其底板产生鼓起,随即发生 L_8 灰岩突水,突水量高达 1 210 m³/h,险淹二水平;五矿三水平南大巷,在掘进一条落差 1.5 m 的断层(断层带宽 6 m)10 天后,发生 L_8 含水层突水,突水量为 285 m³/h。

以上实例警示,对矿井揭露的所谓隔水断层,要严格监控其水理性质随时间的变化,绝不可掉以轻心。

四、重力滑动构造对矿井突水的控制作用

重力滑动构造在豫西诸多煤田内发育,其特点是断层面倾角平缓(一般为5°～20°),基本稳定在主采煤层二$_1$煤层及附近,构成大面积构造岩顶板。

(一)二$_1$煤层顶板滑动构造

河南省登封县东南部的登封煤田郜城井田处于芦店滑动构造区的南部。滑动构造的主滑面大致沿二$_1$煤层顶面发育,压煤面积为 27 km^2。郜城井田钻孔揭露的二$_1$煤层顶板为平均厚 40 m的碎裂岩带,岩石破碎,结构松软,是豫西地区构造岩顶板发育比较典型的矿区。

1. 构造岩顶板空间分布特征

1)井田顶板平面构成特征

芦店滑动构造是早期由北向南滑动和晚期由南向北滑动两期变形的复合产物(李万程,1985 年;王昌贤、曹代勇,1988 年)。主滑面沿二$_1$煤层顶面发育,形成平均厚 40 m 的碎裂岩带,垂向结构极其复杂,在郜城井田大致取代了二$_1$煤层的正常顶板(见图 2-7)。据井田内钻孔资料分析,主滑面略呈波状起伏,有时从顶板

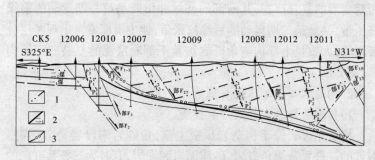

图 2-7 芦店滑动构造勘探线剖面图

1—地层界线;2—煤层;3—滑动面

以上通过,构造破碎带之下保存有二$_1$煤层顶板及其以上部分地层。这类正常顶板一部分分布在井田东部沿二$_1$煤层露头一带,为滑体未覆盖部分;另一部分主要分布在井田中部,分布区域较大。两者面积约为8.5 km^2,占二$_1$煤层分布面积的28.3%。该类顶板的岩性为深灰色细砂岩(大占砂岩),局部相变为砂质泥岩,厚2.7~25.44 m,一般厚6.6 m。岩石单轴抗压强度在60 MPa左右。正常顶板对煤矿的生产与安全虽构不成直接威胁,但也因受到强烈挤压剪切而使得构造裂隙异常发育,使其虽有老顶之名而无老顶之实。

除正常顶板外,分布广泛的二$_1$煤层构造岩顶板面积达21.5 km^2,占全部顶板面积的71.7%,构造岩顶板岩石成分及结构构造复杂,裂隙发育且岩性破碎,单轴抗压强度大都小于20 MPa。

2)构造岩顶板垂向结构特征

根据构造地质学理论,一个完整的重力滑动构造,其应力、应变分布和构造样式具有自身规律。一般前缘为挤压段,可赋存以断层泥为主的构造岩;中部为顺层剪切滑移段,可赋存以剪切角砾岩为主的构造岩;后缘为拉张段,可赋存以张性角砾岩为主的构造岩。由于芦店滑动构造是早期由北向南滑动和晚期由南向北滑动两期变形的复合产物,其南部的郜城井田既是第一期运动的前缘挤压带,又是第二期运动的后缘拉张带,使主滑面常常出现断层分带现象,大致呈上部构造角砾岩覆盖下部断层泥的复杂二元结构(见图2-8)。

2. 构造岩顶板工程地质性质

1)构造角砾岩岩性及力学性质

构造角砾岩位于构造岩顶板上部,角砾岩的母岩是二$_1$煤层附近的二叠系灰黑色砂岩、砂质泥岩和泥岩,有时为三叠系红色的砂泥岩。按力学性质一般可分为张性角砾岩和剪切角砾岩。张性角砾岩砾石成分复杂,既有砂岩、砂质泥岩,也有前期构造形成的

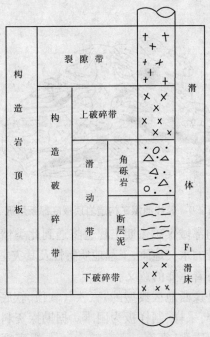

图 2-8　构造岩顶板垂向结构图

断层泥。砾径大小悬殊，一般为 3～20 cm，磨圆度也差。泥质填隙物含量很大，单轴抗压强度在 20～40 MPa 之间。岩石结构类型为纯切变形的 B—构造岩。剪切角砾岩角砾成分单一，主要为砂岩。铁质、硅质胶结，岩性较为致密坚硬。角砾磨圆度差，常呈透镜状或麻花状定向排列而形成构造杆状体。岩石单轴抗压强度一般在 40～60 MPa 之间，局部大于 60 MPa。岩石组构类型为单剪变形的 S—构造岩。

　　滑动构造的阶段性运动与差异性变形，使得构造角砾岩泥、石混合，含水性增强。特别是井田浅部，当滑动面切割三叠系地层时，煤层顶板特别软弱破碎，遇水迅速泥化。工人反映"红石头比煤软"（见图 2-9）。

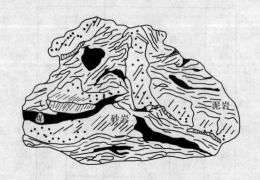

图 2-9 养钱池煤矿构造岩顶板底部断层泥

由于未来的郜城煤矿二期工程也将遇到此类情况,所以深入讨论滑动构造带的水文地质、工程地质特性及其灾害预测和防治,对矿井的建设有着重要的意义。

郜城煤矿是豫西地区典型的"三软"(软顶、软底、软煤)矿区。构造岩岩块破碎,采样、制样极为困难。据勘探资料,一般构造角砾岩物理力学性质为:密度 $\rho = 2.73 \text{ g/cm}^3$,视密度 $ARD = 2.63 \text{ g/cm}^3$,孔隙率为 3.39%,吸水率为 1.33%,剪应力强度为 4.3 MPa,普氏系数 f 为 $0.65 \sim 2.5$。

2)断层泥岩性及力学性质

F_1 滑动构造带中的砂岩、砂质泥岩和泥岩在滑体剪切碾磨作用下,形成了一种高塑性的断层泥,一般位于滑动带的底部,构成二₁煤层顶板,具有良好的隔水性能。钻孔揭露这种断层泥厚度通常为 $3 \text{ cm} \sim 1 \text{ m}$,呈灰白色泥膏状,成分与颜色复杂,裂隙十分发育,硬度小,锤击易碎,光面与擦痕较多,断层泥出坑口或钻孔两个月后即风化成粉状,岩石单轴抗压强度小于 40 MPa。

经过对岩样进行工程地质试验知,滑动构造带中断层泥表现为高含水量($21.2\% \sim 34.5\%$)、高液限($46.2\% \sim 66.8\%$)、高塑性指数(25.6%～38.1%)、高自由膨胀率(36%～44%)。X射线衍射、差热分析表明,其主要黏土矿物为Na、Ca基蒙脱石,次要矿物为高岭石,其有效蒙脱石含量为25.64%～31.17%,伊利石含量为9.63%～11.28%。

为了更好地评价构造岩顶板及二$_1$煤层的泥化性质,河南煤田地质一队于1986年在朝阳沟小井滑动构造带采集了泥化试验样,委托煤科院唐山分院,按部颁标准《煤及其伴生矿物的泥化试验方法》中的安德瑞法进行了试验,结果见图2-10。

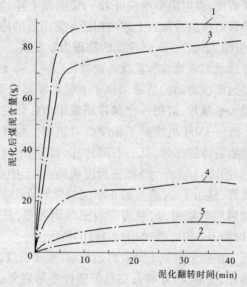

图2-10 朝阳沟小井构造岩顶板及二$_1$煤层泥化曲线图

1—顶板;2—底板;3—夹矸;4—原煤;5—浮煤

从上述试验结果得出结论:原煤、构造岩顶板、夹矸泥化现象明显,特别是开始5 min,曲线斜率大,泥化速度快;而浮煤、底板泥化现象不明显,曲线位于坐标系的下部,往右逐渐趋于水平,表示经过一定时间后,泥化逐渐停止,趋于稳定。根据上述特点,预计原煤和构造岩顶板在地下水作用下或在水采中易泥化,将会产生大量次生煤泥,既影响煤质,又使得本为隔水层的断层泥强度骤然降低,影响顶板工程管理。

3)构造岩顶板构造物理学特征

地球物理测井显示:构造岩顶板井径曲线(CJJ)明显增大;声速曲线(SV)的滑行波行程与时差加大,产生高峰异常、井壁不平现象,使曲线多呈锯齿尖锋;人工伽马(HGG)由于井径增大,泥浆充填,呈低密度高异常反映,当井径增大到 0.5m 时,异常幅度近似或超过煤层幅度;视电阻率曲线(DLW)值明显下降,异常平缓,夹有小尖锋异常。构造岩顶板上述由构造异常引起的地球物理特征,显示了其空隙大、密度小、强度低的物理力学性质。

4)构造岩顶板岩石组构和显微构造特征

笔者在登封郜城滑动构造带采集了大量的断层角砾岩岩样,将其分别切成水平薄片,对每一个薄片测量了 200 颗左右石英颗粒的光轴,用 PC—1500 机绘制了相应的岩组图。张性角砾岩赋存于滑动构造的后缘拉张带,其岩石薄片在岩组图上显示了明显的环带结构,如图 2-11(a)所示,极密程度很高,位于中心,对称形式接近斜方对称,显示了 σ_1 直立的正断层的伸展运动。剪切角砾岩赋存于中部顺层剪切带,构造岩岩组图结构简单,只有一对极密,属单剪变形的 S—构造岩,如图 2-11(b)所示。

张性角砾岩在镜下可见十分发育的张裂隙、张裂纹,属碎裂石英岩。波状消光、变形纹、方解石双晶等塑性变形现象也较常见,石英颗粒常常被拉断。剪切角砾岩的镜下显微特点是显微裂纹、裂隙十分发育,石英颗粒常常被压碎,形成裂纹发育的破碎尖棱状角砾,反映了围压不大、低温、快速的应变环境。综合构造岩的岩石组构的显微构造特征,说明构造岩顶板的岩石变形较为复杂,是一种在深层塑性变形的基础上叠加了后期浅层脆性变形的复合变形。

(a)张性断层角砾岩　　　　　　　　(b)剪切断层角砾岩

图 2-11　构造岩顶板岩组分析图

3. 滑动构造水文地质特征

1)下伏系统水文地质特征

部城井田滑动构造由于主滑面发育在二$_1$煤层或二$_1$煤层以上地层中,因而下伏系统二$_1$煤层以下地层基本未遭破坏,其水文地质特征与正常区(非滑动构造区)基本一致。如部城区 L$_{7\sim8}$石灰岩抽水试验中,$q = 0.02 \sim 0.2$ L/(s·m),在一定条件下可成为矿井充水水源。

2)滑动面水文地质特征

滑动构造主滑动面一般位于煤层顶板的断层泥带(厚 3 cm～1 m 不等),塑性大,韧性强,遇水则迅速泥化,其本身是较好的隔水层。据部城区抽水资料,该滑面 $q = 1.7 \times 10^{-5} \sim 5 \times 10^{-4}$ L/(s·m),$K = 6 \times 10^{-5} \sim 2.5 \times 10^{-3}$ m/d。由此可见,在天然条件下,主滑面对其上部滑体裂隙水起较好的阻隔作用。

3)上覆系统水文地质特征

滑动构造的上覆系统由于参与了构造运动,造成地层严重缺失,滑体内仅保留 20～30 m 山西组地层(一般正常情况为 80 m)。岩石破碎,裂隙发育,地下水极易富集。一旦人工采掘揭穿底部主滑面断层泥,构造岩顶板水则成为矿井最主要的充水水源,对开采二₁煤层构成极大威胁。如郜城井田养钱池煤矿于 1980 年突水,始突水量为 $300\sim400$ m³/h,造成淹井。数年排水资料证实,矿井水主要来自二₁煤层构造岩顶板,涌水量一直稳定在 250 m³/h。如此之大的顶板水在郑州矿区乃至整个豫西地区都是罕见的。

4. 滑动构造水化学特征

对郜城井田内朝阳沟煤矿构造岩顶板孔隙、裂隙水进行采样化验,水质属 $SO_4 - HCO_3 - K + Na$ 型和 $HCO_3 - Cl - SO_4 - K + Na - Na + Mg$ 型,矿化度 $0.408\sim1.254$ g/L,pH 值 $8.15\sim8.3$,总硬度 $5.71°\sim14°G$,水温 $14\sim17℃$。分析与检测结果显示,由于顶板水补给、径流条件较差,水力交替缓慢和排泄不畅,该水质的水化学成分与矿化度皆明显不同于第四系潜水和石炭系、奥陶系岩溶水,一般情况下与二₁煤层底板石炭系、奥陶系岩溶含水层和第四系潜水无水力联系,补给源直接来自于其隐伏露头。

5. 构造岩顶板水文地质分类

郜城井田滑动构造主滑面的波状起伏,引起井田煤层顶板构成无论在平面上还是在剖面上都出现分区、分带现象。因此,研究正常顶板隔水层(包括断层泥隔水层)厚度及构造岩裂隙含水层厚度与采动裂隙高度之间的关系,无疑是防治构造岩顶板水害的关键。郜城井田山西组二₁煤层厚度大、分岔多,据其直接顶、老顶岩性组合和地层结构,大致可将其覆岩划分为两类。一类为正常顶板区,指二₁煤层的自然沉积直接顶和老顶,砂岩—泥岩组合,中硬度(点荷载强度 $20\sim40$ MPa)、中等稳定—稳定顶板。据经验公式指导和矿井生产证明,当煤层分层开采时,其导水裂隙带分别是采厚的 $6\sim16$ 倍,符合一般规律。换言之,只要正常沉积岩顶板厚度大于裂高($40\sim50$ m),其上的构造岩裂隙含水层就不会成为矿井的充水水源。另一类为构造岩顶板区,滑动构造沿二₁煤层发育,岩性破碎,随采随落,改变了整个煤层覆岩结构。采空区如不及时处理,整个构造岩段都可能坍塌形成顶板冒落带,位于滑动构造带底部的断层泥将完全失去隔水性能,其结果是灾难性的。

另外,在滑动构造的部分地段,二$_1$煤层及以下地层常遭到铲失而出现大片透水天窗(见图2-12)。出于煤层底板无隔水层,构造岩顶板裂隙含水层和底板石灰岩岩溶含水层直接接触,两者形成水力联系而成为更大的矿井充水水源。在这种复杂地质条件下则有可能引发大规模淹井事故。

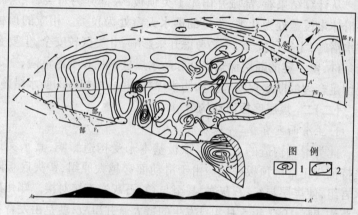

图 2-12   郜城井田煤层铲失带分布图

1—煤层等厚线(m);2—煤层铲失带

据上述认识,应用模糊数学综合评价方法,考虑了下列 3 个安全指标(见表2-4),对顶板各水文地质区段安全性逐一估计,评价等级取安全、较安全、危险、极危险 4 类,依次记为Ⅰ、Ⅱ、Ⅲ、Ⅳ。

表 2-4   构造岩顶板各水文地质区段安全性估计

指标	Ⅰ	Ⅱ	Ⅲ	Ⅳ
顶板条件	4(隔水)	3(弱隔水)	2(透水)	1(强透水)
正常沉积顶板厚度	4(隔水厚度大于裂高)	3(隔水厚度小于裂高)	2(透水厚度大于裂高)	1(透水厚度小于裂高)
构造岩顶板厚度	4(0～30 m)	3(30～60 m)	2(60～90 m)	1(90～120 m)

其隶属度的计算公式为：

$$U = \frac{1}{b-a} \int_a^b \underset{\sim}{A}(x)\mathrm{d}x \qquad (a \leqslant x \leqslant b) \qquad (2\text{-}2)$$

在各个水文地质单元内，一般取 5 个以上的点求算 $P(\underset{\sim}{A})$：

$$P(\underset{\sim}{A}) = \sum_{i=1}^{\infty} \underset{\sim}{A}(x_i) P_i \qquad (2\text{-}3)$$

从而得到各单元的综合评价值 P_i(综)。

从计算结果看，郜城井田无Ⅰ类顶板，大部分为Ⅲ类，煤层露头滑体未覆盖处为Ⅱ类，零星的透水天窗处为Ⅳ类。相应的顶板防水措施：Ⅰ类区安全，不必考虑开采影响；Ⅱ类区较安全，但要查清条件，留一定的断层保安煤柱和防水煤柱；Ⅲ、Ⅳ类区危险，一定要留足合理的断层保安煤柱和防水煤柱，并采取相应的防水措施。

(二) 二₁煤层底板滑动构造

1. 主滑面发育在二₁煤层底

此类滑动构造的二₁煤层顶板基本未受构造影响，其水文地质特征与正常区顶板一致。由于滑动面穿越太原组，铲失底板隔水岩组，使煤层与 C_3 石灰岩，甚至与 O_2 石灰岩直接对接。郑州矿区芦沟煤矿 1997 年 5 月 4 日发生的特大淹井事故，就是由发育在二₁煤层底的岳村滑动构造所引起(见图 2-13)。该滑动构造上覆系统为一轴向近东西、两翼倾角为 20°～25°的倾伏向斜。近水平滑动面发育在二₁煤层底部。下伏系统为产状近水平的奥陶系灰岩。造成此次淹井事故的突水点位于接近向斜核部的 26 采区下山外环水仓处。该处二₁煤层距滑动面最近，底板保留的隔水层厚度仅为 0.5～0.6 m。在强大的水压与矿压共同作用下，奥灰水突破底板进入巷道，突水点最大涌水量达 3 440.6 m³/h，全矿总涌水量达 4 187.6 m³/h，最终造成矿井被淹。

新密煤田的杨家洼滑动构造，滑面发育在二₁煤层底的太原组和本溪组，滑动构造破碎带影响范围极大，促进了滑面附近 C_3

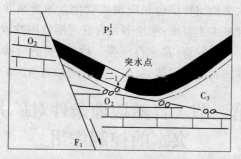

图 2-13 二$_1$ 煤底滑动构造突水形成示意图

与 O_2 石灰岩岩溶的发育。如 15－2 孔揭露本区最大的石灰岩溶洞，高度达 8.8 m。据抽水试验资料，石炭系石灰岩 $q = 0.26 \sim 1.40$ L/(s·m)，$K = 1 \sim 4$ m/d；奥陶系石灰岩 $q = 0.7 \sim 8.0$ L/(s·m)，$K = 0.3 \sim 9.0$ m/d。由于滑动构造的影响，年产仅 15 万 t 的杨家洼煤矿，设计排水能力达 1 000 m³/h，其主采二$_1$ 煤层与下伏 $L_{5\sim6}$、$L_{1\sim3}$ 甚至 O_2 石灰岩含水层常直接接触，造成矿井频繁突水。该矿井现涌水量一般为 350 m³/h，富水系数为 20.2，在郑州矿区属水文地质条件最复杂的矿井。

2. 主滑面发育在一$_1$ 煤层

主滑面发育在一$_1$ 煤层中的滑动构造，其最大特征是上覆系统与下伏系统均为岩溶含水层，岩石滑动、破碎促进了地下水的富集。郑州矿区郜城煤矿在建井过程中，当风井接近 $L_{7\sim8}$ 灰岩时发生突水并导致淹井，突水量达 600 m³/h。风井突水时周围的长观孔 C_3、O_2 水位都有下降现象，这表明滑动构造使 $L_{7\sim8}$ 灰岩与 $L_{1\sim4}$、O_2 灰岩距离大减，彼此之间水力联系变佳。就区域水文地质条件而言，郜城井田在郑州矿区应属比较简单的矿井。然而，揭露的 C_3、O_2 石灰岩岩溶异常发育，水量异常丰富，这无疑与滑动构造有着直接的关系。

综上所述，滑动构造在豫西地区普遍发育。由于滑动面发育层位不同,水文地质特征也相应发生变化。如滑面发育在塑性岩体中,滑动带基本不富水;如滑面发育在可溶性刚性岩(石灰岩)体中,滑动带则裂隙发育,富水性较强。因此,摸清滑动构造的水文地质特征,掌握其变化规律,对矿井水的防治有重大的现实意义。

第三节　自然地理条件对矿井突水的控制作用

自然地理条件对地下潜水赋存的影响最为显著。由于河南省新生界潜水往往是矿区隐伏充水含水层的总补给源,所以潜水的水文地质条件对矿井突水有着间接的控制作用。另外,特殊地理条件即"三下"(建筑物下、地表水体下和道路下)下采煤,也能引起矿区水文地质条件的重大变化,从而导致矿井突水。

一般来说,潜水的水量、埋藏深度及含水层厚度是经常变化的,而且变化范围较大,它们主要受大气降水、地面植被及地形等多种自然地理因素的影响。大气降水补给潜水的数量与降水量及降水性质密切相关。短时间的小雨,由于这种降水渗入到岩层内不深,而且雨停之后,基本上又蒸发了,故渗入补给潜水的数量甚微。而急骤的大雨和暴雨,由于过于集中,大部分的降水都形成地表径流而流到河谷或冲沟中去了,所以补给潜水的数量只占降水的很小部分。对潜水补给具有最大意义的是长时期的绵绵霪雨,尤其是当空气的相对湿度达最高值时,补给潜水的水量最多。

植物覆盖层的状况,可以影响降水补给潜水的数量。当地表植物覆盖层发育时,可减缓雪的融化速度以及阻止降水形成地表径流很快地流走,从而加强了渗透,极有利于潜水的补给。地表坡度的大小更严重地影响补给潜水的水量。比如在地表坡度大的山区,降水在重力作用下不易在地表蓄存,此时降水的绝大部分很快沿地表流走了。因此,在缺乏植物覆盖且地面陡峻的黄土高原,容易形成水土流失,矿井不易发生地下水害。

一、自然地理条件下的矿井突水

河南省平顶山市石龙矿区是一个典型的受自然地理因素控制的煤炭资源区。全区面积 35 km²,含煤面积 28 km²,占总面积的80%。本区乡镇煤矿发展迅速,到 20 世纪 90 年代初期,共有各类矿井 700 多座。这些矿井在生产过程中,由于采掘活动和矿井排水的影响,使矿区自然地理条件发生了很大变化,因而在一定程度上导致了原有的水文地质条件和矿井充水特征的改变。因此,进一步加强该区自然地理因素的调查和分析,是当前矿井生产过程中应引起重视的一项重要工作。

(一)大气降水

本区地势总体呈西高东低,山脉走向北偏西 30°,西部山区最高山岭娘娘山的山顶海拔高程为 + 528.4 m,构成地表分水岭。中部平原地区分布石炭 - 二叠系含煤地层,石龙河以东的整个东半部地区分布有第三纪中性岩浆岩。广泛的坡积物、洪积物和冲积物构成由山区向平原过渡的丘陵地带(青草岭)。

分布于青草岭附近的矿井有山高五矿、全神庙矿、昌达矿、青草岭矿、五七矿、康达矿和张庄五矿等 20 多个小矿井,这些矿井均开采丁、戊、己煤组煤层露头线以下浅部煤层。因而,大气降水是石龙区浅部矿井水的主要补给来源。如五七煤矿开采 + 100 ~ - 160 m 戊组煤层时,矿井正常涌水量 20 m³/h,而雨季涌水量可达 70 m³/h。

石龙矿区的一部分矿井位于青草岭斜坡地带,煤层赋存位置高于当地侵蚀基准面,大气降水补给范围不大,地势有利于地表径流排泄。因此,这些矿井井下涌水量不大。另有一些矿井位于山前平原的地势低洼地带,开采深度一般小于 80 m,矿井充水特征具有明显的季节性和周期性。当矿井开采浅部煤层时,地表降水

2~3 h后,井下即可出现最大涌水量;矿井开采深部煤层时,地表降水 24 h后,井下才出现最大涌水量,并且随着开采深度的增加,井下涌水量增大的幅度与地表降水量大小的相关性逐渐减弱,滞后时间逐渐加长。

(二)地表水

石龙河是惟一贯穿全区的河流,其海拔高程为 + 141.1 m。枯水季节流量为 0.17 m^3/s,雨季最大流量为 1 200 m^3/s,暴雨时可形成洪峰,洪峰持续时间一般不超过 12 h。最高洪水位在高庄井田为 + 201.67 m,在大庄井田为 188.17 m。石龙河河床及两岸均为第四纪砂砾岩层,位于主采已煤组露头线的倾向方向。该地带煤层都赋存在 200 m 以上。因此,石龙河水不可能通过其露头向矿井充水,也不会对本区矿井构成突水威胁。

矿区内分布有众多的小水库。捞饭店水库正常蓄水面积0.104 km^2,蓄水量51.8万 m^3;谢河水库洪水季节蓄水面积 0.6 km^2,蓄水量 300 万 m^3;山高水库和高庄水库均为季节性小水库。捞饭店水库库底为 1.1~4.0 m厚的第四纪亚黏土,其下为厚达 200 m 的坚硬致密的第三纪火山碎屑岩和角砾岩,隔水性很好。平煤集团和大庄矿曾共同对此进行过专门勘探工作,河南省煤炭科研所也曾对石龙区捞饭店水库下采煤的可行性做过技术论证,并经大庄矿井下回采证实,捞饭店水库水体下采煤不会引起库水突入矿井。但如有其他不良地质因素影响时,也可能发生库水淹井事故。例如开采丁组煤的临颍矿,由于掘进工作面接近青年水库下的老窑采空区,库水冲垮老窑填土,于 1986 年 10 月 16 日被淹。

(三)老窑水

石龙区小煤窑开采历史悠久,据调查,仅韩梁矿区就达 2 055 个。小煤窑主要开采浅部煤层,以丁、戊组煤层最为普遍,倒转向斜构造西翼煤层露头附近也有开采已组煤的,采深最大为 60 m。老窑采空区一般都有不同程度的积水,矿井采掘工作面接触或接近这些老窑水时,可能会发生突水淹井事故。韩庄、高庄、大庄、梁洼矿回采己组煤层后,均遇到老窑水大量突入并淹没工作面。高庄矿目前淹没标高为 + 85 m,积水量为 165 万 m³,主要集中在 21111、21210 采面;人庄矿淹没标高为 + 65 m,积水量为 250 万 m³,主要集中在 21080、21021、22221、22242、22261 工作面;军营沟矿淹没标高为 - 50m,积水量为 320 万 m³,主要集中在 304、306、308、1220、1218、1216 等采面。位于老窑积水区附近的金地矿、军东矿、军营村办矿、军营四矿、三兴矿、小学联办矿、宏利矿、东兴矿、通源矿、泰鑫矿、竹茂村矿、竹园矿、龙兴矿、新建二矿、平顺矿等均存在有老窑水突出的潜在危险(见图 2-14)。

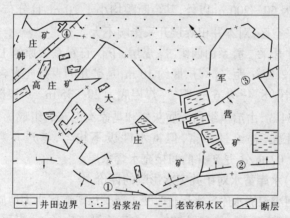

━┷━ 井田边界　∷∷∷ 岩浆岩　═╪═ 老窑积水区　◣ 断层

图 2-14　石龙区老窑水分布图

二、特殊地理条件下的矿井突水

黄河小浪底水库是河南省境内最大的水利枢纽,坝址至三门峡河道长 130 km。沿黄河两岸的煤矿、铝土矿星罗棋布,其中义马矿务局新安煤矿为国有大型矿井,年产量 150 万 t。随着小浪底水库的正常蓄水运行,蓄水位 275 m 以下的矿区将被淹没(水下压煤 1.49 亿 t),矿区区域水位的抬高和库水对含水层露头的侵蚀作用,使井田水文地质条件发生了变化,直接或间接地影响了煤矿的安全生产。

(一)矿区概况

新安井田属低山丘陵地貌,地势西高东低,矿区基本沿畛河分布。当地属大陆性半干燥亚湿润气候带,特点是冬春干旱、夏秋湿润,降雨多集中在七、八、九月三个月,曲线成三角峰形,占全年降水量的60%以上。

本区构造位置位于新安倾伏向斜之北翼,为一平缓的单斜构造,岩层一般走向北东倾角为7°~11°,向斜轴近东西,核部被新生界地层掩盖,断层多为斜交正断层,除 F_2、F_{29} 及矿区西南边界断层 F_{58} 断距为 50~200 m 以外,其余断距均小于 20 m,且分布在井田外老窑采空区,对本井田煤层开采影响不大。

矿井开采二叠系山西组二$_1$煤层,下伏石炭系太原组 L_8 灰岩厚 0.2~2.2 m,距二$_1$煤层底约 10 m,是矿井的直接充水含水层。$L_{1~3}$ 灰岩厚 8.4~9.6 m,距二$_1$煤层底为 29~35 m。中奥陶统 O_2 灰岩厚 54 m,由冶里组白云质灰岩和马家沟组灰岩组成。该含水层含水性强,补给量丰富,但富水性极不均匀,渗透系数 $K = 0.01~9.02$ m/d,是矿井的间接充水含水层。

(二)水库蓄水对矿井突水影响的评价

黄河小浪底水库蓄水运行改变了新安煤矿矿区水文地质条件。首先,将使畛河水位抬高到 275 m,水库淹没区内的二$_1$煤层的开采由Ⅱ级水体下的开采变为Ⅰ级水体下的开采,并使河水充填老窑采空区;其次,矿区北部矿井主要充水含水层石炭系灰岩露头或隐伏露头全部被淹没,原来的大气降水补给变为现在的库水直接补给,尤其是 F_{58}、F_2 有可能成为库水涌入采区的直接通道。

1. 水库蓄水对矿井顶板突水的影响

1)二$_1$煤层顶板岩性特征

二$_1$煤层顶板以上至 P_2 平顶山砂岩底面间地层平均 526.31

m,其中,砂岩地层的累计厚度最大 98.42 m,平均 63.4 m,其他均为泥(页)岩、砂质泥(页)岩、粉砂岩。砂岩不但所占比例低,而且一半以上集中在二$_1$煤层顶面至以上 42~81 m、平均 49 m 的层段内。基岩表层风化卸荷带厚度一般不大于 30 m。松散覆盖层主要分布于河谷、沟谷及山坡山脚处,一般厚 5~15 m,最厚 25 m。

由抽水试验成果(见表 2-5)知,基岩表层风化卸荷带砂岩岩体的渗透系数小于 1 m/d,具有弱的透水性;卸荷带以下砂岩的渗透系数为 0.001 53~0.027 m/d,仍具有相对隔水性。因此,虽大部分二$_1$煤层埋藏于地下水位以下,但仍具有较好的开采条件。

表 2-5   二$_1$煤层顶面以上含水砂岩层抽水试验成果

| 含水层 | 孔号 | 试验孔段 | | 含水层总厚 (m) | 渗透系数 K (m/d) |
		起始深度(m)	段长(m)		
P$_1^1$—P$_1^2$ (大紫泥岩以下)	235	208.99~244.60	37.61	15.01	0.055 2
	水 1	29.11~77.58	48.47	21.00	0.050 4
	1301	107.71~186.99	69.28	39.41	0.004 7
	1606	180.98~217.28	36.30	19.08	0.001 4
	52	223.00~236.08	13.08	13.08	0.026 6
P$_1^2$—P$_2^2$ (大紫泥岩以上)	235	3.06~199.36	157.76	54.05	0.018 9
	52	9.68~138.70	128.62	40.99	0.056 2
	65	10.71~209.00	198.30	55.93	0.029 3
风化卸荷带中的砂岩	41	10.31~37.00	26.69	26.69	0.227 0
	1001	11.01~68.23	57.22	35.42	0.724 0
	注 2501	13.48~74.23	60.76	26.25	0.067 1

2)采空区顶板的突水分析

现有的小窑采空区规模小且分布零散,对井田区的地下水及开采条件影响是局部的,但应注意其与导水构造的连通。而新安煤矿二$_1$煤层开采所产生的导水裂隙带是否与库水连通,是矿井水害防治的关键因素。

按原煤炭工业部 1985 年颁发的《建筑物、水体、铁路及主要井巷煤柱留设与压煤开采规程》第 45 条的规定,对Ⅰ类水体,在不允许导水裂隙带顶点波击水体的条件下,水体下的压煤允许开采。这里采用原煤炭工业部制定的《水文地质规程》附录七推荐的经验公式进行了计算。从新安煤矿二$_1$ 煤层顶面起算的导水裂隙带(包括冒落带)顶点的最大高度与采高具有表 2-6 所列的关系。新安煤矿二$_1$ 煤层厚 0~18.88 m,平均 4.36 m。由表 2-7 可以看出,在库水压煤区二$_1$ 煤层顶面以上覆盖的基岩厚度大于 175 m,将水体底界延至风化卸荷带下界,仍有 145 m 以上的隔水、相对隔水岩体。因此,依据各部位二$_1$ 煤层顶面以上覆盖的基岩厚度,分区限定采高,水库蓄水对新安煤矿资源的开采利用影响不大。

表 2-6 二$_1$ 煤层顶板以上导水裂隙带高度与采厚关系 （单位:m）

煤层采厚	4	5	6	7	8	9	10
导水裂隙带最大高度(含冒落带)	61.44	75.52	89.61	103.69	117.78	131.86	145.95

表 2-7 新安煤矿部分钻孔揭露的二$_1$ 煤层顶板高程 （单位:m）

孔号	地面高程	二$_1$ 煤层顶板高程	孔号	地面高程	二$_1$ 煤层顶板高程
2804	220.84	-27.73	78	328.03	150.80
75	378.30	122.72	83	219.32	13.94
39	262.92	74.17	80	265.56	76.64
3102	296.27	-14.69	79	300.26	94.20

2. 水库蓄水对矿井底板突水的影响

1)二$_1$ 煤层底板太原组灰岩水突水问题

井田内石炭系太原组灰岩大都被第四系松散层覆盖,水库蓄水后(水位截至 2002 年底已达 240 m),位于矿区北部的含水层隐伏露头已被淹没在库水之下。通过大量突水实例分析,太原组 $L_{7~8}$ 灰岩离二$_1$ 煤层最近,一般为 8~10 m(该矿底板采动裂隙导水带深度为 10 m),是新安煤矿蓄水前的直接充水水源。但是含水层厚度极不稳定,岩溶发育极不均匀,因而水量有限。若与其他底板灰岩含水层无水力联系时,将其疏干即可,一般无灾害性突水。

小浪底水库的蓄水运行,不仅使 $L_{7~8}$ 水头升高约 70 m,而且改变了其补给条件。一旦矿井发生突水,特别是当采掘活动揭露大的断层时,库水将会以高水头通过第四系源源不断地补给 $L_{7~8}$,甚至造成大规模淹井事故。新安煤矿最近几年突水统计资料显示,矿区被淹以来的突水频率明显增大,底板 $L_{7~8}$ 灰岩含水层造成较大突水 38 次,突水量为 30~212 m^3/h,一般为 60 m^3/h 左右。其中,36 次是巷道直接揭露 $L_{7~8}$ 溶洞、溶隙或断裂带;2 次是因为采煤工作面底板隔水层薄,采动裂隙构成突水通道,$L_{7~8}$ 水沿裂隙涌入工作面。上述多次突水,严重影响矿井生产和经济效益的提高。随着向深部(- 110 m 水平)的开采,$L_{7~8}$ 突水的威胁性不断加大(水压力 3.5 MPa)。

2)二$_1$ 煤层底板奥灰水突水问题

水库蓄水后,新安井田淹没区内无奥陶系灰岩出露(灰岩露头最低高程为 293 m)。虽然排除了库水直接补给地下水的可能性,但水库蓄水后将使煤层底板岩溶水排泄基准面发生变化,区域黄河水位在 155 m 左右,也就是说,奥灰水的排泄基准面最大升幅达 120 m 左右。由于地下水径流条件的改变,自然排泄不畅,继而使奥灰岩溶水水位抬高,加大了矿井突水压力。

奥陶系灰岩顶面与二$_1$ 煤层底面的间距为 42~85 m,平均 54 m;矿区北端奥灰水顶板承受的水头压力,将由 257~300 m(平均 269 m)上升至 329~372 m(平均 341 m),未超过矿区南端奥灰水

顶板现在承受的水头压力（185～550 m）。据原煤炭工业部制定的《水文地质规程》附录五推荐的突水系数计算公式

$$T_s = p/(M - C_p) \qquad (2\text{-}4)$$

式中　T_s——突水系数，$kgf/(cm^2 \cdot m)$；

　　　p——顶板地层承受的水头压力，kgf/cm^2；

　　　M——煤层底面与含水层顶面间的地层厚度，m；

　　　C_p——采矿对底板的破坏厚度，m。

从安全角度考虑，M 取最小值为 42 m，C_p 参照矿井水文地质规程附录八取 10 m，p 值按二$_1$ 煤层底面承受的水头压力加 4.2 kgf/cm^2取值。从计算结果看，井田淹没区北端的奥灰水突水系数由现在的 0.803 上升到 275 m 水位时的 1.028，均大于上述附录五规定的底板受构造破坏块段一般将小于等于 0.6 的指标值，而小于正常块段小于等于 1.5 的指标值，突水系数仍没有质的变化。

3. 水库蓄水对矿井构造突水的影响

大量原始资料和突水案例分析表明，断层构造对河南省矿井突水的控制作用表现为：同一条断层的上、下盘，由于受力破坏程度、空隙充填程度、再胶结程度的差异，其富水性显著不同。即使同一条断层，受落差、水压、充填及开采扰动程度的影响，不同区段的导水性能也可能发生变化。

新安井田主要边界断层即属于这种情况。如井田西部的 F_{58} 正断层，上盘十分富水，有泉水出露，流量为 694.8～1 360.8 m^3/h，下盘 001 孔抽水试验 $Q = 0.014$ m^3/h，基本不含水。井田东部的 F_2 正断层，据 81 号孔揭露在山西组层位发生漏水，而据 3501 孔抽水试验 $Q = 0.004$ m^3/h，基本不含水，表明该断层空隙发育（或含水性）极不均匀。新安井田构造位置正好处于由 F_{58} 和 F_2 构成的地堑构造中部下陷断块内，既是 F_{58} 的上盘，又是 F_2 的上盘。该地带二$_1$ 煤层底板附近张应力集中，小断层密布，仅

12141 工作面运输巷就揭露 3 条断层(落差在 3 m 左右)。因此，该矿在小浪底水库蓄水运行前就已经属水文地质复杂矿井，1995 年 11 月 5 日发生的特大淹井事故(突水量为 4 260 m³/h)就是一个最好的例证。

小浪底水库的蓄水运行对新安煤矿这种独特的构造形态无疑是雪上加霜，O_2 水头的增高将使新安煤矿的水文地质条件更趋复杂。与矿区被淹前相比，矿井无论从受水威胁的面积上，还是频率上或严重程度上都是罕见的。

(三)矿井突水的灰色风险评价

根据上述认识，针对新安煤矿矿井突水的频繁性和突水控制诸因素(水量、水源、构造、出水部位)的不确定性，应用灰色风险计算模型对矿井突水受小浪底水库的影响程度作出评价，如表 2-8 所示。

表 2-8　矿井突水量区间及对应概率

序号 i	1	2	3	4	5
突水量区间(m³/h)	(0,500)	(500,1 500)	(1 500,2 500)	(2 500,3 500)	(3 500,∞)
水量代表值 x_i(m³/h)	300	1 000	2 000	3 000	4 000
概率 $p(x_i)$	0.7	0.1	0.1	0.05	0.05

表 2-8 所列各数据为矿井自 1995 年以来历次突水(包括水库蓄水后)的统计资料。仅就"突水"概念而言，它是一个模糊概念。但对于"突水灾害"事件本身，是一个灰色事件。因为同一矿井涌水量，会因自然条件(如水库蓄水后补给条件)的改变和人为条件(如矿井设计排水能力)的不同，带来不一样的后果。于是，可以用一个灰数来进行表达。根据该矿井历史上突水的实际情况，定义突水灰色事件 $\hat{A}$，即

$$\hat{A} = (0,0)/300 + (0,0.5)/1\ 000 + (0.5,1)/2\ 000 +$$
$$(1,1)/3\ 000 + (1,1)/4\ 000$$

由灰色风险率计算公式得 $\hat{A}$ 的灰色概率为

$$P(\hat{A}) = \sum_{x_i \in A} \frac{\overleftarrow{\mu}(x_i) + \mu(x_i)}{2} p(x_i)$$

$$= 0.7 \times 0 + 0.1 \times 0.25 + 0.1 \times 0.75 + 0.05 \times 1 +$$

$$0.05 \times 1$$

$$= 0.2$$

则 $\hat{A}$ 的灰色风险率为 $FP(\hat{A}) = P(\hat{A}) = 0.2$。由

$$E(\hat{A}) = \frac{\int_U x \dfrac{\overleftarrow{\mu}(x) + \mu(x)}{2} \mathrm{d}p}{P(\hat{A})}$$

得 $\hat{A}$ 的期望值：

$$E(\hat{A}) = (300 \times 0 \times 0.7 + 1\,000 \times 0.25 \times 0.1 + 2\,000 \times 0.75 \times$$

$$0.1 + 3\,000 \times 1 \times 0.05 + 4\,000 \times 1 \times 0.05)/0.2$$

$$= 2\,625$$

由

$$\sigma^2(\hat{A}) = \frac{1}{P(\hat{A})} \int_U (x - E(\hat{A}))^2 \frac{\overleftarrow{\mu}(x) + \mu(x)}{2} \mathrm{d}x$$

$$= E(\hat{A}^2) - (E(\hat{A}))^2$$

得 $\hat{A}$ 的方差：

$$\sigma^2(\hat{A}) = (300^2 \times 0 \times 0.7 + 1\,000^2 \times 0.5 \times 0.1 + 2\,000^2 \times 0.75 \times$$

$$0.1 + 3\,000^2 \times 1 \times 0.05 + 4\,000^2 \times 1 \times 0.05)/0.2 - 2\,625^2$$

$$= 1\,109\,375$$

由式 $FD(\hat{A}) = \dfrac{\sigma^2(\hat{A})}{E(\hat{A})}$ 得 $\hat{A}$ 的灰色风险度：

$$FD(\hat{A}) = \frac{\sqrt{\sigma^2(\hat{A})}}{E(\hat{A})} = \sqrt{1\,109\,375}/2\,625 = 0.401$$

由计算可知,该矿井突水风险率为 0.2,即发生突水的可能性为 20%,且突水风险度为 0.401,说明突水风险是比较大的。

第三章　矿井突水综合防治

第一节　国内外矿井防治水技术

一、国外防治水简介

自 20 世纪 70 年代以来,国外矿井防治水技术有了很大发展。含水层预先疏干降压方法逐渐代替了被动排水,在矿井防治水发展趋势中占有主导地位。围绕疏干降压防治水方法,发展了相应的钻探、排水新技术,如潜水泵的扬程可达 35～1 000 m,排水量达 126～5 000 m³/h。值得称道的是,国外矿井疏干工作正在逐渐采用计算机自动控制,这使疏干技术的水平大大提高了一步。另外,由于矿井排水成本越来越高,一些国家开始试用堵水截流的防治水措施。

总之,国外矿井防治水方法比较单一,主要采用地面管井疏干降压,堵水截流只作为一种辅助措施。他们普遍认为,在生产阶段,注浆堵水不能代替排水。如美国认为,即使在岩溶矿区,也只有少数矿井可采用堵水截流的防治水方法,多数仍需疏干降压。

二、国内防治水简介

我国矿井防治水方法多种多样,有疏有堵,在一定条件下可疏、堵结合。疏干降压的方式有地表疏干,也有井下疏干。在某些条件下,地表、井下可联合疏干降压。在注浆堵水方面,既有矿山局部工程处理和淹井事故处理,也有大型防渗帷幕注浆工程。根据近几年研究成果,排水、供水、环境保护三位一体结合不仅可以解决排、供、环保三者之间日益严重的矛盾和冲突,而且也是一项十分有效的矿井防治水技术。

但是,究竟在什么条件下应采用疏干降压?什么条件下应采用堵水截流?什么条件下应采用排、供、环保三位一体结合?以往的回答都是建立在定性分析的基础上。一般认为,充水通道对矿井涌水量影响较小时,直接采用疏干降压;如矿井涌水量主要受充水通道的控制,则应堵截充水通道。然而,如何定量研究充水通道的具体空间展布位置和其充水强度,以及充水通道对矿井某开采水平的总涌水量影响大小等,这些问题一直未能得到满意的解决。结果造成有时堵的通道不准,花费巨资,收效甚微;有时所堵通道充水量不大,效果不明显。

中国矿业大学(北京)武强教授认为,华北型煤田矿井防治水决策系统应从两个方面考虑。一为防水决策子系统,二为治水决策子系统。

防水决策子系统应包括以下几个方面。

(1)首先对矿井配备足够排水能力,增建抗灾泵房,实现潜水泵化,保障安全供电。

(2)建立分区隔离防水系统,完善防水门(墙)及各类防水煤柱及地面防洪路线等工程。

(3)在矿井上、下建立涌水量、水位、水质的立体自动观测网系统,提高观测精度和动态分析水平。

(4)应用先进探测技术,加强对矿井水文地质条件的重新认识,对各种探测结果进行综合对比分析,相互验证。

(5)加强矿井防水工作的检查和管理制度,生产上树立"安全第一、预防为主"的指导思想,强化防水的组织管理机构。

治水方法主要有3种,即疏干降压、堵水截流和排、供、环保结合。治水决策子系统应包括以下几个方面。

(1)首先利用各种现代化探测手段对矿区水文地质条件进行综合分析,搞清楚多层立体充水结构的地下水补、径、排特征和水文地质内、外边界以及各含水层的水文地质参数,特别是内边界的研究。这是矿区治水决策的基本依据。

(2)在以上定性分析基础上,利用多层"拟三维"有限元数值模拟模型对矿区进行模型识别,特别注意对内边界的位置和参数模拟。

(3)根据检验识别后的数值模型建立实际预测模型,对矿区某开采水平的总涌水量作出预测。再建立一个相对某条内边界的假想模型,对其总涌水量也作出预测。实际模型与假想模型的总涌水量之差就是那条对应内边界的垂向水交换量。根据矿区实际情况,考虑到矿井水疏降管理模型的精度高于模拟模型,此项工作最好由矿井水疏降管理模型来完成,如焦作九里山矿。

(4)根据定量确定的某开采水平总涌水量和内边界垂向水交换量大小,考虑矿区所在的区域地下水系统的水资源补给条件,可作出如下治水对策:

治水决策子系统

水资源充沛(A)
- 总涌水量大且垂向越流交换量大于40%的矿区(A_1):在经济合理条件下,采取广义排、供、环保结合;否则对内边界堵水截流
- 总涌水量小,无论垂向越流交换量大小的矿区(A_2):采取疏干降压
- 总涌水量大且垂向越流交换量小的矿区(A_3):在经济合理条件下,采取广义排、供、环保结合;否则采取狭义排、供、环保结合

资源较紧张(B)
- 总涌水量大且垂向越流交换大于40%的矿区(B_1):对内边界堵水截流
- 总涌水量小,无论垂向越流交换量大小的矿区(B_2):采取疏干降压
- 总涌水量大且垂向越流交换量小的矿区(B_3):采取狭义排、供、环保结合

根据典型煤矿矿井涌水量立体预测成果,焦作演马庄矿利用三层"拟三维"数值模型预测的二水平总涌水量为 135 m^3/min,矿区南部内边界垂向越流上补量为 65 m^3/min,占总涌水量的 48%;焦作九里山矿利用四层"拟三维"矿井水疏降管理模型预测的一水平总涌水量在第一管理时段为 237.042 m^3/min,第二管理时段为 215.493 m^3/min,第三管理时段为 195.902 m^3/min,矿区 F_1 内边界垂向越流上补量在第一管理时段为 182.012 m^3/min,占总涌水量的 76%,第二管理时段为 165.466 m^3/min,占总涌水量的 76%。

显然,依据治水决策系统,两个矿均采取 A 方案,即在经济合理条件下,水资源充沛的焦作九里山矿和演马庄矿均应采取广义排、供、环保结合。否则,应首先对两个矿各自的主要边界采取堵水截流措施,然后各矿再进行相应水平的开采工作。

第二节　河南省矿井防治水技术

一、矿井水害防治现状

煤矿水害防治,反映一个国家或地区的科技水平和经济能力,此问题在当今世界地质界中仍是一个难题。长期以来,广大矿井地质工作者与地下水害进行了不懈的斗争,在总结历次突水淹井事故经验、教训的基础上,逐渐摸索和形成了一套适合河南省实际情况的防治水的技术和方法,采取了以防为主,供、疏、堵相结合的合理方针,在快速恢复被淹矿井、多种治水方法、大型注浆帷幕等方面虽已居于世界前列,但在水文地质基础理论、技术手段、预测数理模型、计算机应用、环境地质等方面和国际水平仍有较大差距。确切地说,河南省的矿山突水防治,还仍然停留在经验治水的水平上。现就此问题,笔者谈一些防治水经验。

(一)矿区地面防治水

矿区地面防治水必须坚持以防为主的原则,既要查清矿井地表汇水、疏水等水利工程的分布情况,又要掌握当地历年最大降水量和最高洪水位资料,并结合本矿区地形地貌条件,建立相应的疏水、排水和防治水系统。对低于当地历年最高洪水位的井口及建筑物,必须修筑堤、坝和挡水墙等挡水建筑物;对地势比较低洼的塌陷区,如不能利用沟渠排水时,应填土并压实,然后用水泵集中排水,尽量减少雨水渗入井下的各种通道。每年雨季到来之前,要派专人检查矿井地面有无裂缝和老窑陷落现象。若出现此种情况则必须立即填塞。

(二)矿区井下防治水

(1)矿区井下防治水必须从加强水文地质工作、查清矿区水文地质条件入手,建立和完善矿区主要含水层地下水动态观测系统。采掘过程中,做到以防为主,依靠科技进步提高探测手段,坚持有疑必探、先探后掘的探、放水原则;对于大水矿井,在灰岩中应布置一定数量的泄水巷,并在泄水巷中进行探、放水工作,最大限度地减少水患。

根据焦作矿区治水经验,应做到:①若矿井涌水量为 1 m^3/min,而 L_8 水位下降大于等于 12 m,且 L_2、O_2 水位不动时,一般采取疏水降压的治水方法;②若矿井涌水量为 1 m^3/min,L_8 水位下降小于 12 m 时,无论 L_2、O_2 水位有无变化,都要采取封堵突水通道的治水方法;③L_2、O_2 突水源在任何情况下都要采取封堵突水通道的治水方法。

(2)改善开采工艺。水压在 2 MPa 以上的地区,主要开拓巷道和采区上、下山可布置在煤层顶板岩石中,不做或少做底板岩巷,以减少采掘型突水事故发生。

(3)提高矿井防水、排水能力。水量较大的矿井,应建立防水闸门,并推广应用高效率、大流量的潜水泵。对水文地质条件特别复杂、突水可能性很大的地区,可用防水闸门单独隔离,防止出现因一处突水而危及全矿安全生产的局面。

二、矿井水害防治信息化前景

为了提高河南省煤矿防治地质灾害的能力,促进由经验管理步入科学决策的轨道,广大地质工作者在长期的生产和科研实践中对水害预测预报方法进行了不懈的探索,逐渐认识到利用计算机方法在当前以至中远期内对建立自动预警系统和改进系统的数理统计,都是非常有意义的。

(一)数据库及库管理系统

水文地质数据库及库管理系统,就是在计算机软、硬件支持下,对矿井各种安全监测数据及时进行采集、处理、解释、查询、汇编、存储、制表绘图及输出、建立数据库、图库、软件包等,提高资料的管理利用水平,从而加强矿井水害的预测预报工作,真正成为矿井安全和治理水害各种试验方法的"眼睛"。该系统包括矿区水位动态信息系统数据库、水文地质试验成果库、矿井突水事例资料库、矿井构造特征参数库及矿井涌水量数据库等五个子系统(见图3-1)。这些模块的功能介绍如下。

1. 水位动态信息系统数据库及处理模块

该模块的功能包括数据存储及统计分析、建立绘图软件及相应的图库。数据一旦输入,则相应制表成图(包括矿区水位动态变化图、矿区或矿井等水位线图、水位变幅与矿井突水关系图),图件按月、季、年连续存储,具有随时输出、打印、编绘功能。

2. 水文地质试验成果库及处理模块

该模块的功能包括数据存储、管理及对数据进行多种处理。在资料允许的情况下,根据弥散理论进行趋势分析,绘制矿井各含水层流量与降深关系图、影响半径与时间关系图、渗透系数等值线图,建立相应的图表图库。为了能够对主要含水层进行水文地质

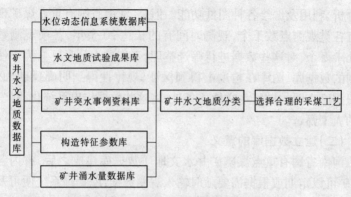

图 3-1　矿井水文地质数据库框图

类型判别,拟用模糊数学方法建立判别模型,以利于实际应用(主要是圈定充水含水层分布区域)。

3.矿井突水事例资料库及处理模块

该资料库包括事故发生的原因、条件、规模及人员伤亡等。模块具有数据存储、统计分析、查询和图表输出功能。

4.构造特征参数库及处理模块

该模块和矿井突水资料库处理模块功能相同,存储包括岩层倾角、褶皱规模、断层和裂隙与节理的力学性质及发育程度、构造破碎带的揭露长度与宽度等数据。建立数学模型以分析地质构造对水害的控制作用。

5.矿井涌水量数据库及处理模块

该模块具有存储矿区、矿井及分水平涌水量全部数据功能,可以按照要求对数据进行加工处理,对不同含水层涌水量进行分类统计;按月、季、年编制各类涌水量动态变化图;具有自动输出图纸和图表功能。对矿井突水淹井涌水量变化建立专门数据库。在有条件时建立矿井涌水量与气象、开采、降深等相关因素的数学模型,以利于矿区进行地下水动态预测。

上述五项子系统数据库,不但具有资料存储功能,而且具有资料分析、利用及编绘各种图件功能。但是,河南省国有重点煤矿现已有各类观测点数千个,观测时间有的长达 20 余年,各项观测数据几十万个,对这些数据进行筛选整理,工作量十分艰巨。为了使编制的数据库、图库在精度上得到保证,规律性得到明确反映,必须根据已查明的矿区水文地质条件,将这些数据作出系统化、科学化的人工筛选。

(二)建立数据库的意义

河南省国有重点煤矿矿井水文地质数据库建成之后,省内各局、矿可以定期或根据需要随时输入观测数据,库管理系统便可及时输出有关图表和各类图纸。这样,一方面就结束了过去那种只观测、不整理、数据杂乱、无人问津、不能及时提供决策依据的弊端,改变了过去几十年来因循守旧的落后面貌;另一方面,在库管理系统的约束下,各项观测内容必须定期无条件地进行,使各项观测数据连续化,步入正常管理的轨道。

此外,矿井水文地质数据库及其相应的数学模型为各类地质灾害预测提供了系统而精确的基础条件。在此基础上,可进一步总结以往的事故案例,建立各项事故因素软件包(包括矿区水压、断层、裂隙、节理、岩性及力学性质、软岩破碎带等),对各类冒顶、突水进行计算机数据模拟,逐步开展用计算机识别和监测事故征兆,对事故发生的地点、强度实现逐区逐面预报。数据库对于矿井水文地质工作所要解决的这一艰巨目标,无疑是迈出了第一步。

第三节　矿井水综合利用展望

一、矿井矿泉水综合利用

(一)概况

河南省西北部的焦作矿区位于太行山南麓,是一个有百年历史的老矿区,现年产无烟煤 300 万 t,矿井排水量 1.7 亿 m^3/a,是我国著名的大水矿区。煤矿采掘破坏了岩体的天然平衡状态,围岩应力重新分布。由于主采二叠系山西组二$_1$煤层距下伏石炭系太原组 L_8 石灰岩仅十几米,煤层底板的强大水压和围岩垂直压力的共同作用,使大量岩溶水沿构造裂隙或采动裂隙涌入矿坑,既给煤矿采掘带来了诸多困难,原煤成本增加,同时又造成了地下水资源的大量流失。目前,矿井水仅为煤炭洗选、电厂冷却、群众生活和小规模的饮品加工所利用,总量在 1 300 万 t/a,利用率不足 10%。大量矿井水排出矿区后多用于农田灌溉,其余部分排入海河水系。从保护水资源这个战略角度看,矿井水存在着较大的可利用潜能。

(二)矿井水水质特征

焦作矿区的矿井水主要来源于奥陶系石灰岩含水层,矿井水水质与奥灰水水质相同,为 $HCO_3 - Ca + Mg$ 型水。其硬度、硫酸盐含量在矿区西部明显高于矿区东部,这主要与地下水的补给、径流条件有关,也反映了地下水在某区域范围内循环活动的强度特征。另外,由于受采矿活动的影响,矿井水铁离子含量、悬浮物含量、生化指标、色度等水质指标大大高于天然岩溶水水质的同类指标。

(三)矿井水矿物质含量分布特征

通过研究焦作矿区的水文地质条件,焦作矿务局在矿区自西向东布置了 1$^\#$~5$^\#$ 监测点,对矿井水水质进行监控。水样经权威部门测试分析,2$^\#$ 和 5$^\#$ 两点位水样锶的天然含量均达到国家标准,而其他矿物质指标均低于国家标准。2$^\#$ 和 5$^\#$ 矿井水所含的有益矿物质成分及含量见表3-1。其自大到小的排序为:

2$^\#$　　$Sr > H_2SiO_3 >$ 矿化度 $> I > Li > Br > Zn > Se >$ 游离 CO_2

5$^\#$　　$Sr > H_2SiO_3 >$ 矿化度 $> I > Li > Br > Zn >$ 游离 $CO_2 > Se$

表 3-1 2# 和 5# 矿井水有益矿物质含量（单位:mg/L）

项目	Li	Sr	Zn	Br	I	H_2SiO_3	Se	矿化度	游离 CO_2
2#	<0.03	0.66	0.02	0.10	<0.05	15.60	0.000 7	588.60	15.23
5#	<0.04	0.41	0.01	0.12	<0.05	16.01	0.000 1	565.74	12.70
国际	>0.20	>0.4	>0.2	>1.0	>0.2	>25.0	>0.01	>1 000	>250
2# 比值	0.15	1.65	0.10	0.10	0.25	0.62	0.07	0.59	0.06
5# 比值	0.20	1.03	0.05	0.12	0.25	0.64	0.01	0.57	0.05

　　为了了解区域地下水的水化学特征,焦作矿务局组织科研人员对矿区北部地下水补给带进行了实地调查。调查对象除焦作市的赵庄、云台山和老龙潭外,还有新乡市辉县的万仙山。泉水水质结果如表 3-2 所示。

表 3-2 泉水矿物质成分含量　　　（单位:mg/L）

地点	Li	Sr	Zn	Br	I	H_2SiO_3	Se	矿化度	游离 CO_2
赵庄	0.005	0.48	0.005				0.000 4	446.10	8.10
万仙山	0.020	0.35	0.005	<0.10	<0.1	10		361.00	
老龙潭	0.050	0.07	0.05	0.012	0.05	9.36	0.000 2	312.07	2.49
云台山	0.050	0.06	0.05	0.017	0.05	8.62	0.000 1	322.57	2.49

　　从表 3-2 可以看出,矿区附近的赵庄和万仙山泉水中的锶含量达到国家天然矿泉水标准。而远离矿区的云台山、老龙潭泉水中的锶含量分别为 0.06、0.07 mg/L,远远低于国家天然矿泉水标准。

(四)结果分析与利用前景

(1)根据调查范围内样品的初步分析结果,可以判定焦作矿井水矿物质成分较为丰富。我国《饮用天然矿泉水标准》中规定,地下水锶元素含量只要达到国家矿泉水标准,其他矿物质的含量指标可以不达到国家矿泉水标准。因此,焦作矿区的矿井水有美好的开发前景。

(2)成矿位置受区域水文地质条件控制,具有明显的条带性和稳定性。

(3)地下水对含碳酸锶岩层的溶解是焦作矿区含锶型矿泉水的形成原因,而地下水补给、径流和物理化学等条件的相对固定,则导致成矿作用具有一定的规律性。

(4)随着矿区原煤产量减少,焦作矿务局必须走多种经营的发展道路。一方面利用焦作地下水和四大怀药的绝对优势,互补开发具有地方特点的系列饮品并投放市场;另一方面利用国家南水北调工程,将丰富的矿井水调至北京、天津等地。据专家测算,南水北调工程每调 1 t 水到北京、天津等地,价格在 3~5 元。如调矿井水北上,每调节出 1 亿 t 矿井水,就可获得经济效益 3 亿~5 亿元。因此,矿井水利用工程可成为焦作及焦作矿区新的经济增长点。

二、矿井水同位素综合利用

(一)概况

位于河南省焦作市以东 30 km 的古汉山井田,水文地质条件较为复杂,地下水非常丰富。生产部门要求对井田内地下水质作综合分析,以建立该井田冲积层、煤系薄层石灰岩(下称薄灰)和奥陶纪石灰岩(下称奥灰)三大含水层地下水同位素组成的鉴别标志,并对它们的分布特征及相互间联系情况作出相应结论。为此,煤科院西安分院和焦作矿务局合作,对井田地下水取样并进行了稳定同位素 ^{18}O、D、^{13}C、环境 T 及水化学主要组分的分析研究。

(二)环境同位素特征

现场采取水样 15 个,全部进行了 ^{18}O、D、T 的测定,并对其中

8 个水样复做了 ^{13}C 核素测定。测定结果见表 3-3。

表 3-3　古汉山井田地下水同位素数据表

层位	原编号	顺序号	水样位置	稳定同位素(‰)			放射性同位素(TV)
				Δ^{18}O	ΔD	Δ^{13}C	^{3}H
第四纪	古—2	1	副井东南民井	−8.91	−64.4		36.6
第三纪	古—7	2	吴村供水孔	−8.79	−62.9	−10.04	38.9
冲积层	古—11	3	吴村	−9.81	−71.1	−9.93	14.7
	古—4	4	矿区供水孔	−9.61	−70.2		12.5
	古—15	5	中风井检查孔	−8.79	−65.1		
顶板	古—1	6	副井检查孔	−10.92	−77.1		6.7
砂岩	古—14	7	26—16	−10.82	−76.2		
煤系	古—5	8	官7孔	−9.31	−67.6	−10.6	15.9
薄灰	古—9	9	白村矿一水平	−9.95	−70.7	−10.79	1.9
	古—10	10	吴村矿二水平	−9.79	−71.1	−10.78	11.4
	古—13	11	方庄矿放水孔	−9.81	−70.9	−10.74	24.4
奥灰	古—6	12	铝厂水源井	−9.76	−71.2	−9.74	33.3
	古—8	13	白庄矿供水井	−9.68	−68.9	−9.63	28.2
地表	古—12	14	云台山水库	−8.58	62.4		21.7
降雨	古—3	15	主、斜井附近	−5.89	−41.5		46.7

1. 氚(^{3}H)

^{3}H 是一种半衰期很短的放射性同位素,来源有天然和核爆^{3}H两种,具有良好的计时和示踪特性。当大气降水入渗地下后,随地下水径流时间及距离增加,沿地下水径流方向的^{3}H含量不断减少,据此可以确定地下水年龄。由于大气热核试验效应,20 世纪 60 年代大气降水^{3}H值要比 50 年代初热核试验前高好几个数量级,而 60 年代中期以后逐渐降低,至 80 年代我国已降低到 50～

100 TV 以下,说明还未恢复到试验前水平。1991 年 7 月在井田所采雨水样(古—3)的^{3}H 值为 46.7 TV,基本上可以代表近期井田所在区大气降水^{3}H 的背景值。现对各含水层的含量状况加以分析。

1)冲积层水

冲积层水中^{3}H 含量为 38.9~12.5 TV,平均为 25.7 TV。划分为两类:一类为低^{3}H 水($<$15 TV),主要分布在冲积层下部含水层(如古—4、古—11),反映出径流条件差、与大气降水联系不密切的特征;另一类为高^{3}H 水($>$35 TV),都是采自冲积层上部含水层(如古—2、古—7),^{3}H 值高达 38.9 TV,以与大气降水关系非常密切、地下水径流通畅、水质好为特征。

2)砂岩水

顶板砂岩水中^{3}H 值较低,在副井检查孔中的水样(古—1),其^{3}H 值仅有 6.7 TV,结合水化学资料看,这是典型煤系砂岩水。该层水远不如冲积层和奥灰水径流条件通畅,实际上是热核试验前的降水补给,含水层本身封闭性能好,与其他含水层联系不密切。

3)煤系薄灰水

以 L$_8$ 石灰岩最为重要,它厚度大、水量丰富,是矿井充水的主要含水层。该含水层取水样 3 个,其^{3}H 值普遍较低(1.9~24.4 TV),平均为 12.6 TV,是该含水层与上覆冲积层底部含水层通过接触带的通道直接下渗连通的结果。

4)奥灰水

^{3}H 含量普遍较高,两个水样值分别为 28.2 TV 和 33.3 TV,平均值为 30.8 TV,显示出大气降水补给的特征。

2. 氘(D)和氧—18(^{18}O)

D 和 ^{18}O 是水中两个最基本的稳定同位素。大气降水的 ΔD、Δ^{18}O,遵循 ΔD＝8Δ^{18}O＋10 关系式,即雨水线公式。

当大气降水渗入地下后,在常温常压条件下,ΔD、$\Delta^{18}O$ 同位素变化不大,在 $\Delta D \sim \Delta^{18}O$ 关系图上基本落在大气降水线上或附近。由于蒸发作用,水中轻同位素逸散,重同位素相对富集,ΔD、$\Delta^{18}O$ 常落在雨水线的右下方。井田中所取水样的 ΔD、$\Delta^{18}O$ 值投在 $\Delta D \sim \Delta^{18}O$ 图上(见图 3-2),大部分落点在雨水线右下方或附近。按其落点可划分为三组。

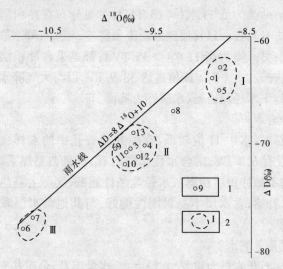

图 3-2 古汉山井田地下水样 $\Delta D \sim \Delta^{18}O$ 关系图
1—水样点顺序号;2—水样点分组号

Ⅰ组在雨水线右下方的上部,有 3 个水样,均采自冲积层上部含水层。显然,这些水样受到了地面蒸发作用。

Ⅱ组在雨水线右下方的中部附近,主要是采自冲积层下部承压水、煤系薄灰水和奥灰水,系大气降水入渗成因,受一定蒸发作用影响。这些水样在 $\Delta D \sim \Delta^{18}O$ 图上的落点十分接近,说明它们关系密切,有相互补给的可能。其中,有一孤立点 8(古—5)介于Ⅰ、Ⅱ组之间,它取自 L_2 含水层,显示出受冲积层水的影响,从水化学组分上亦说明此点。

Ⅲ组分布在雨水线右下方最底部，ΔD、$\Delta^{18}O$ 为全井田最低值，两个样均取自顶板砂岩含水层。显示出封存水的特征，与现代水关系不大。这与砂岩层低^3H水相吻合。

3. 碳—13(^{13}C)

^{13}C 是一种稳定同位素，水中 $\Delta^{13}C$ 与 HCO_3^- 的来源有关。因此，可根据 $\Delta^{13}C$ 大小示踪地下水的来源及运移途径。当大气降水（$\Delta^{13}C = -9.0‰ \sim -7.0‰$）渗入到煤系地层后，其径流运移的时间越长，$\Delta^{13}C$ 值越低，这是因为煤系本身的 $\Delta^{13}C$ 就很低的缘故。若入渗到石灰岩地层中，则径流时间越长，$\Delta^{13}C$ 值越高。从表3-3可以看出，奥灰水中 $\Delta^{13}C$ 值比其他含水层高；而煤系薄灰水中 $\Delta^{13}C$ 值最低（$-10.79‰$）；两个冲积层水样品的 $\Delta^{13}C$ 值十分接近，基本上反映了土壤中 CO_2 的碳同位素特征。

(三)结论

(1)焦作矿区矿井水以大气降水为总补给源。同位素组成特征反映了冲积层水、薄灰水和奥灰水间的密切关系，并且水量丰富。

(2)建立了井田主要含水层的地下水同位素组成鉴别标志，它对矿区基建、生产所遇突水源的判别及混合水比例计算等方面将起指导作用。

(3)焦作矿区矿井水富含同位素，可以预见在不远的将来，随着科技进步，矿井水同位素在矿井防治水领域将得到更广泛的利用。

三、酸性矿井水综合利用

酸性矿井水在河南省主要煤矿区蕴藏量巨大，约占地下水总储量的1/3。随着高硫煤层（一$_1$煤层）的开采，其蕴藏量有逐年增加的趋势。地下水在向矿井水仓汇集时受到煤体的污染，一方面浪费了大量宝贵的地下水资源,另一方面又严重威胁着矿井安全生产。河南省许多大水煤矿一般采用钻孔、疏干、排放地下水的方法来减轻矿井突水压力,因而大量富含硫酸根的 $L_{7\sim8}$ 或 $L_{1\sim4}$ 探放、控放水及老窑水被排出矿井,在地面形成了新的二次污染。这种现象已引起国内外的关注。

(一)酸性矿井水水质特征

煤层附近的地下水多处于封闭状态,径流条件差,残留煤体中的金属硫化物在地下水和氧气的共同作用下,氧化成大量的 SO_4^{2-} 离子,反应式如下:

$$2FeS_2 + 7O_2 + 2H_2O = 2FeSO_4 + 2H_2SO_4$$

$$4FeSO_4 + 2H_2SO_4 + O_2 = 2Fe_2(SO_4)_3 + 2H_2O$$

就高硫酸根含量的水质而言,富、高硫煤是形成酸性矿井水的直接的主要的原因。其次,地面矸石堆中的孔隙水和大气酸性降水都有可能回渗到矿井,污染地下水。郑州矿区朝阳沟煤矿井下水源点取样分析表明,酸性矿井水 SO_4^{2-} 含量一般为 $500\sim800$ mg/L,有些矿井超过 $1\,000$ mg/L,pH 值为 $2.5\sim3.0$。

(二)酸性矿井水化学脱硫工艺

处理煤矿酸性水关键之一是清除硫酸根。目前,国内普遍采用生石灰或熟石灰作中和剂处理。由于中和产物 $CaSO_4$ 微溶于水,处理后的出水中 SO_4^{2-} 含量仍然很高,难以回用于煤矿生产或生活用水,所以必须选择合成混凝剂来处理 $CaSO_4$。

1.混凝剂类型选择

矿井酸性水处理,反映了一个国家或地区的科学技术水平和经济能力。治理污水、保护环境已经成为当今环境地质界的热点,而且积累了大量经验。由于河南省酸性矿井水蕴藏量大、水质复杂,必须采用适合当地实际情况的矿井污水处理方法和工艺流程。即采用物化处理方法,根据其水量、水质特点,采用蓄水沉淀和混凝技术,通过试验来选择最佳混凝剂类型,确定最佳混凝剂投放量以及最佳混凝剂运行条件,以产生最佳的经济效益和社会效益。

河南省经济在全国相对落后,地方财政对环保事业的投入非常有限。因此,合成混凝剂的化工原料必须是量大、价廉、易得。针对矿井水水质酸性偏高、易腐蚀工业锅炉与管道等特点,笔者在实验室经过大量试验和反复对比,最终确定用石灰粉和铁铝酸四钙(质量比1:1.3~1:1.5)合成的混凝剂处理污水效果较好(水样取自郑州矿区朝阳沟煤矿井下老窑水)。石灰粉(生、熟皆可)来源于建材市场,铁铝酸钙是一种廉价化工产品,市场上容易大量获得。

2. 物化处理与工艺参数

酸性矿井水在蓄水池经过2~3 d的物理沉淀后,即可投入混凝剂。混凝剂中氢氧化钙与铁铝酸四钙的质量比控制在1:1.3~1:1.5为宜。污水处理的化学过程首先是发生中和反应和水化反应

$$2HCl + Ca(OH)_2 = CaCl_2 + 2H_2O$$

$$H_2SO_4 + Ca(OH)_2 = CaSO_4 \cdot 2H_2O$$

$$4CaO \cdot Al_2O_3 \cdot Fe_2O_3 + 7H_2O = 3CaO \cdot Al_2O_3 \cdot 6H_2O + CaO \cdot Fe_2O_3 \cdot H_2O$$

水化铝酸钙可以继续和二水石膏发生化合反应,生成难溶于水的水化硫铝酸钙针状结晶体(钙矾石),化学反应式如下

$$3CaO \cdot Al_2O_3 \cdot 6H_2O + 3(CaSO_4 \cdot 2H_2O) + 19H_2O$$
$$= 3CaO \cdot Al_2O_3 \cdot 3CaSO_4 \cdot 31H_2O \downarrow$$

上述化合反应为不可逆反应。它可以直接减少矿井水中二水石膏的浓度,提高硫酸或盐酸与氢氧化钙中钙离子的交换量,从而降低 SO_4^{2-} 和 Cl^- 的浓度。

水化铁酸钙是一种具有很大比表面积的凝胶团,经相互吸引后可聚合成稳定的絮凝结构,既可吸附一定量的有害元素,也可吸附大量的 $CaCl_2$ 和 $CaSO_4$ 等对锅炉有害物质。

混凝剂投放量主要考虑矿井污水中的 SO_4^{2-} 浓度及 pH 值和

水温等因素。混凝剂投放量与 SO_4^{2-} 浓度基本成线性关系（见图 3-3）。酸性老窑水水温每增加 10 ℃，石灰可适当减少 50 mg/L；pH 值每增加一个单位，投放量相应减少 25 mg/L（见图 3-4）。笔者在实验室用上述物化方法和工艺参数对不同水质老窑水水样进行处理，收到很好的效果，各项指标均符合国家《生活饮用水水质标准》和《工业用水水质标准》，如表 3-4 所示。

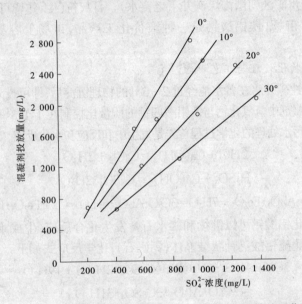

图 3-3 混凝剂投放量与老窑水 SO_4^{2-} 浓度及水温的关系曲线

（三）结论

（1）煤矿酸性水经合成混凝剂物化处理，pH 值指标能达到我国国家污水综合排放标准要求。

（2）煤矿酸性水脱硫关键是去除硫酸钙，以提高硫酸与氢氧化钙的离子交换量，从而降低 SO_4^{2-} 浓度。当酸性水 SO_4^{2-} 含量小于 500 mg/L 时，经物化反应、沉淀、过滤处理后，出水总 SO_4^{2-} 含量

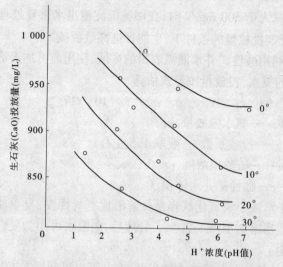

图 3-4 石灰生投放量与老窑水 pH 值及水温的关系曲线

注:水样 SO_4^{2-} 浓度为 1 200 mg/L

表 3-4 **矿井污水处理水质指标测试数据综合表** (单位:mg/L)

分析	含量		国家标准
项目	处理前污水	处理后污水	
pH 值	3.5	7.5	6.5~8.5
氯化物	0.645	0.045	<0.06
氟化物	1.4	0.6	0.5~1.0
砷	0.08	0	<0.05
镉	0.12	0	<0.01
硒	0.78	0	<0.01
硫酸根	1200	176	150~200
起泡系数	500	200	60~200
腐蚀系数	>0	<0	<0

注:矿井污水水样取自朝阳沟煤矿,水温 18 ℃,CaO 投放量为 0.9 g/L,

4CaO·Al₂O₃·Fe₂O₃ 投放量为 1.8 g/L,凡表中未列指标项目均符合国标要求。

小于 100 mg/L,水质清澈,可以用于煤矿生活、生产用水。当污水 SO_4^{2-} 含量大于 500 mg/L 时,在回流沉淀池出水重复处理或适当加大混凝剂投放量的条件下,也能保证高效脱硫。

(3)利用酸性矿井水灌溉农田的矿区,使用前可加入适量浓度为 17% 的氨水,投放量按下式估算

$$W = a \times m \times l \times 10^{-6}/17$$

式中　　W——氨水投放量,kg;

a——投放系数,一般取 1.5 左右;

m——硫酸根浓度,mg/L;

l——酸性矿井水体积,L。

由于溶液中氢氧化氨容易分解形成氨气挥发,夏季使用时投放量应适当增加 10%~20%。处理后,老窑水可作为复合化肥水直接浇地。

(4)具备清污分离能力的矿井,在井下也可利用本工艺处理酸性煤层水。因此,化学脱硫技术具有良好的推广应用前景。

四、矿井水综合利用实例

河南省平顶山矿区是新中国成立后由我国自行勘探、设计、建设起来的重点煤炭基地,近年来在矿井水净化处理和综合利用方面积累了较为丰富的经验。全局目前共有 13 对生产矿井,设计生产能力为 1 606 万 t/a,1990 年实际产量已达 1 830 万 t。除生产矿井外,尚有地面工厂、机关及科研单位 22 个,全矿务局职工包括家属在内共有约 27 万人。

(一)矿区供水概况

平顶山矿区现有三个供水系统。一是平顶山市自来水公司供水系统,其供水范围为矿务局机关及职工家属的生活用水,另有部分局属辅助企业和生产单位的工业用水,供水量约 4 万 t/d;二是自备深水井,出水量为 1.77 万 t/d;三是局属矿井水处理厂形成的

供水系统,经定期化验水质合格,总设计能力为 10.7 万 t/d,占矿区总用水量的 65%。

(二)矿井水处理工艺

矿井水利用工程是一项利国利民的新生事物。由于各级领导对矿井水利用的重视,局属各矿自 20 世纪 70 年代起就相继建立了井下水处理厂,基本解决了各矿用水紧张问题。以五矿水厂为例(产水量 0.9 万 t/d),利用物化方法处理矿井水的工艺流程为:

井下排水→沉沙池 $\xrightarrow{加混凝剂}$ 三层反应池(下面两层为隔板式反应池,上层为回转式反应池)→斜管沉淀池→虹吸滤池 $\xrightarrow{加氯消毒}$ 清水池→加压泵房→用户。

各矿井水处理厂的生产废水都设置回收池。废水在回收池中沉淀后,用泵打入水处理厂的沉沙池,与井下水一起进行处理。煤泥(含钙矾石)经晒泥场晒干后,卖给附近农民作燃料。

(三)污水处理效益

1.环保效益

过去老窑水直接排入地面水系,黑色酸性水污染了环境,影响了农副业生产,而且严重地损害了煤炭企业的形象。目前,对矿区老窑水的处理和利用,既减轻了矿井突水压力,又改善了矿区环境。

2.经济效益

矿井水按日产水 6 万 t/d 计算,平顶山市民用水价0.17 元/t,工业用水 0.32 元/t,全年共收入水费 535.55 万元(按工业、生活用水各占一半计算),扣除成本和其他开支外(不含井下排水费),每年可净盈利273.75 万元。此外,矿山还节约排污费 5 万~20 万元/a。

3.社会效益

由于矿区井下水的处理,既充分利用了水资源,较大地缓和了矿区供水紧张程度,又减轻了城市供水压力。各水厂建成后,安置了一批待业青年,促进了劳动就业和社会稳定。

五、矿井水综合利用措施

在矿井水涌水量大、突水事故严重的大水矿区进行矿井水资源综合利用研究,必须与矿井水害防治结合起来,它是一个涉及煤炭、水利、环保和农业等多方面的系统工程。为了最有效地开发利用矿井水,促进资源开采与环境保护的良性循环,各部门特别是煤矿生产部门须做好以下几项配套工作。

(1)矿井控排。即在井下采取适当措施控制矿井排水。可采取砌筑水闸墙、水闸门将各出水点构成通道,并通过打钻等方法,以水管、闸阀控制出水,从而达到集中管理矿井排水量之目的。

(2)清污分离。将矿井污水与大出水点之清水分开,分别按两套排水系统将它们排出矿井。清水可直接送至坑口电厂、工厂及其他用水单位,而污水则经处理后再送到用户供使用。

(3)矿井水回灌。在煤矿区利用有利地段(如断层基岩露头、漏失严重河道)或布置大口径群孔将矿井清水多余排放量回灌到地下含水层中。目的是提高地下水位,增加地下水储存量,保持地下水补给与排泄的宏观平衡,逐渐形成一套人为的地下水补、径、排循环系统。

(4)帷幕截流。在查清矿区水文地质条件的基础上,选择适宜的补给通道段进行帷幕注浆,将地下水截到井田以外,达到减少矿井排水、增加地下水在井田外含水层中的储存量之效果。

(5)限制开采量。随着大量工业项目特别是乡镇企业竞相上马,盲目用水和争夺水源的现象愈演愈烈。地下水按现有速率持续下降,其后果相当严重,将造成难以挽回的社会问题。各级政府应克服地方保护主义,依照《中华人民共和国水法》和《中华人民共和国环境保护法》,加强国民经济宏观控制,防止低效率用水和大项目重复上马。

第四章 矿井突水防治
案例分析

近年来,对矿井突水案例提供完整描述、客观分析的报道较为难得。下述一系列(包括本书其他章节)经过编著者精选后提供给读者的有关矿井失事实例非常典型,其来源有三:一是编著者亲身参与过调查或事故处理设计与施工的若干工程,占小部分,属于第一手材料;二是编著者收集的近年来在公开刊物或论文集或专著(手册)中发表或引用的矿井突水实例,这些实例对原作者而言,大都是第一手资料,对编著者而言则是第二手资料(见表 4-1);三是有关专家、学者如黄体信、袁振声、武强、李栋臣等所做的调查统计工作,占有较大比例。编著者所做的工作只是在这三类资料基础上,按照突水事故发生的地质条件,给予系统的分门别类和综合分析,提出若干对有关读者或许有某种参考意义的结论和建议。同时,考虑到撰写有关工程事故案例分析的作者一般或为知名学者,或系经验丰富的专家及工程技术人员,故本书对有关矿井案例进

表 4-1 矿井突水及防治案例一览表

序号	案例名称	资料来源	主采煤层	突水水源
1	古汉山立井井筒	吕春枝等	二$_1$煤	顶板砂岩
2	大平矿 14 采区	魏家聚等	二$_1$煤	顶板砂岩
3	演马庄矿 25031 工作面	张永旺等	二$_1$煤	底板 L_8 灰岩
4	龙门矿轨道下山	赵苏启	二$_1$煤	底板 ∈ 灰岩
5	新安矿 12161 工作面	李松营等	二$_1$煤	底板 O_2 灰岩
6	芦沟矿 26 采区下山	郭启文等	二$_1$煤	底板 O_2 灰岩
7	王庄矿 45081 工作面	刘丙申等	一$_1$煤	底板 O_2 灰岩

行摘录时,尊重原作者关于工程事故原因的分析,尊重事故论证会的结论性意见。只是在个别情况下,对节选文章的标题作了修改或补加,对某些图号和表格作了必要的调整,对局部文字也作了修改和压缩。

第一节　二$_1$煤层顶板砂岩防治水

一、古汉山立井井筒治水

焦作矿务局古汉山矿设计年产 120 万 t,采用一对立井开拓,主、副井深均为 546.5 m。井筒上部表土层和风化带采用冻结法施工,冻结深度分别为 277 m 和 271 m。下部基岩段有数层含水层,其中 S$_{17}$砂岩含水层为主要含水层。根据地质报告提供的井筒涌水量,原中煤总公司要求对该段含水层进行工作面预注浆。然而工作面预注浆与否是根据涌水量大小来确定的,往往由于预计的水量与揭露后的实际水量有一定的出入,而造成小水大注,甚至无水也注的情况。另外,工作面预注浆费用较高,占用井筒时间长,不利于井筒快速掘进。因此,分析和研究有关资料后,修改了治水方案,使经济效益大为提高。同时,也为今后井筒治水方案的选择提供了实践经验。

(一)地质及水文地质概况

古汉山主、副井筒基岩段岩性主要为泥岩、砂质泥岩、含铝质泥岩和砂岩。砂岩共 26 层,单层砂岩厚度 0.46～14.41 m。岩体裂隙较发育,具有水蚀现象。其中,S$_{17}$砂岩含水层为主要含水层。

由于井筒检查孔未做抽水试验,原设计仅仅根据井田钻孔抽水试验资料及主、副井筒检查孔的岩性描述、简易水文观测、测井曲线等,对井筒不同层段的基岩涌水量进行了预计。其中,S$_{17}$砂岩含水层的主、副井预计涌水量分别为 83 t/h 和 98 t/h。

(二)改变治水方案的可行性分析

1. 原方案确定的依据

根据《焦作矿务局古汉山矿主、副井检查孔地质总报告(综合)》提供的井筒涌水量,原中国统配煤矿总公司有关部室下文决定对副井 397 m 下部进行工作面预注浆。考虑到主井的地质及水文地质条件与副井相似,矿务局及时编制了主、副井工作面预注浆施工组织设计。

2. 对井筒预计涌水量的评价

1)"综合法"给定的渗透系数偏大

古汉山矿主、副井筒检查孔基岩段均没有进行抽水试验,而报告中提供的渗透系数是综合了焦作矿区基岩段 24 层砂岩抽水试验资料而得出的综合值。与井田内其他钻孔抽水试验资料比较,数值偏大(见表 4-2)。

表 4-2　井田内基岩段砂岩含水层渗透系数　(单位:m/d)

名称	副井地质观测孔	中风井检查孔	新中风井检查孔	位村井检查孔	26－5
渗透系数	0.050 8	0.048 9	0.024	0.008	0.102

注:原方案主、副井 S_{17} 段渗透系数采用 0.05。

根据以上 5 个渗透系数计算,则副井 378～470 m 段的涌水量应在 6.8～68.9 t/h 之间,平均 33.75 t/h。主井相应层位的涌水量应比副井小。

邻近的九里山矿、冯营矿、方庄矿 8 次抽水试验也仅有一次渗透系数超过 0.15 m/d(为 0.187 m/d),平均为 0.065 4 m/d。

2)预计值大于邻区实测量

经调查,九里山矿、冯营矿、演马矿及方庄矿 4 个矿井筒砂岩段实测水量一般在 20 t/h 左右,而离古汉山矿最近的位村和吴村矿主、副井筒相应层位的涌水量均为零。

3.治水工艺方案的修改

(1)重新核定的涌水量为我们更改方案提供了科学依据。S_{17} 砂岩含水层的涌水量应在 $6.8 \sim 68.9$ t/h 之间,平均 33.7 t/h,这一涌水量按砂岩厚度分配到各含水层中,S_{17} 砂岩含水层上段也不会突破 20 t/h。

(2)由于煤系地层砂岩含水层含水性较弱,涌水量较小,使得改变工作面预注浆为探水掘进这种施工方法成为可能。一般来说,华北地区二叠系地层各砂岩含水层,在没有断裂构造沟通强含水层情况下,水量都不会太大。

根据以上的评价和分析研究,可以认为该含水层段治水工艺的改变是切实可行的。

(三)探水掘进方案

(1)主、副井筒分别在掘至 387 m 和 403 m 时,停止掘进,打止浆垫,布置钻孔探水。

(2)主、副井筒沿底板一周(尽量靠近井壁)布置 3 个探水钻孔。布置原则是:在岩层倾斜上方布置 1 个钻孔,沿走向方向上布置 2 个钻孔,3 孔呈近似等边三角形。

(3)根据多年来井筒施工经验,3 孔水量超过 10 t/h 时(换算成井筒水量大于 17 t/h),进行工作面预注浆。否则,继续掘进。

(4)3 孔终孔位置以穿过 S_{17} 砂岩含水层为宜,主井孔深约为 25 m,副井孔深约为 19 m。

(四)效果检验与经济效益分析

通过打钻探水,主、副井筒钻孔水量均不大,主井 3 孔的总水量为 0.4 t/h,副井 3 孔的总水量为 5.99 t/h。主、副井筒的钻孔水量均没有超过规定要求工作面预注浆的水量。据此,现场技术人员及时下达了正常掘进的通知。实践证明,该含水层实际涌水量小于报告中预计的井筒涌水量,主、副井分别为 5.3 t/h 和 7.8 t/h。

此次治水工艺方案的改变,经济效益极为明显。不但节约了工作面预注浆工程费用22.7万元、工程补偿费10万余元,总经济效益达32.7万元,而且缩短了打钻注浆工期38 d,加快了施工进度,还为今后井筒施工治水方案选择提供了宝贵的经验。

二、大平矿14采区治水

(一)概况

郑煤集团大平煤矿是1986年投产的矿井,设计生产能力60万t/a,开采方式为立井单水平上下山开采,主采二叠系山西组二$_1$煤层。矿井正常涌水量300 m³/h,水仓有效容积4 400 m³,5台主排水泵排水能力为1 000 m³/h。

大平井田位于大冶倾伏向斜中,断裂构造以逆冲断层为主,压性断层带胶结紧密,坚硬密闭,矿井自投产以来尚未发生大规模的构造型突水。因此,大平煤矿水文地质条件较为简单(二类二型),是以煤层顶板裂隙水为充水水源的中等矿井。区内主要含水层有第四系砂砾石孔隙含水层、二$_1$煤层顶板砂岩裂隙含水层、太原组薄层灰岩含水层、奥陶系和寒武系岩溶裂隙含水层。前两组含水层对矿井突水不构成威胁。太原组薄层灰岩主要有L$_{7\sim8}$、L$_5$、L$_{1\sim3}$3层含水层,$q = 0.024 \sim 0.038$ L/(s·m)。薄层灰岩含水性比较差,且在采掘活动中经过长期疏放,对矿井也构不成突水威胁。奥陶系、寒武系碳酸盐含水层厚度大(450 m左右),岩溶发育不均一,$q = 0.041 \sim 18.790$ L/(s·m),静储量大,当有构造导通时,可成为威胁矿井安全生产的主要突水水源。

14采区位于矿区北部大冶向斜北翼,工作面埋深102~215 m,该采区上部有双泊河(河床标高为+229.2~+233.1 m)自西向东流过,二$_1$煤层隐伏露头距河床底面仅30~40 m。1980~1995年,小煤窑在14采区小铁路以北地带滥挖乱采,1995年以后基本停产。但大部分小窑井口没有被完全充填,加上地面村庄、企

业密集,采区采用较保守的倾斜条带法开采工艺,采留比为 2:4
(见图 4-1)。

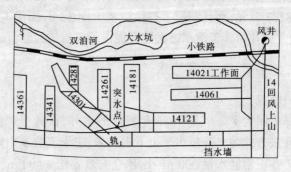

图 4-1　14 采区工作面布置图

本次事故的突水点位于 14181 进风巷轨₁ 点以东 23 m 处,西北为 14301 采空区,北部为条带面(条带面设计宽度 20 m,煤柱 40 m)。条带面均在 2000 年 4 月 25 日前已开采完毕。因此,突水点周围 100 m 内没有任何采掘活动。

(二)突水经过

2000 年 8 月 19 日 15 时,14301 轨道巷出水,初期涌水量在 300 m³/h 左右,之后涌水量逐渐增大,瞬间突水量达 2 600 m³/h。80 min 后,中央泵房进水而导致供电中断。于是,水泵停止运转,矿井被淹。

大平煤矿从 2000 年 8 月 26 日 7 时开始排水,至 2000 年 8 月 28 日 14 时排水结束,平均排水量 1 180.5 m³/h,突水点总涌水量为 28 946 m³,平均涌水量 134 m³/h。

(三)突水水源分析

矿井被淹后,找出突水水源和进行针对性处理是当务之急。分析水源有奥灰水、老窑水、顶板水、老空水 4 种可能。下面对出水水源进行逐个分析。

1. 长观孔水位变化情况

从 2000 年 8 月 19～27 日, 对 O_2 长观$_1$ 孔 (距突水点西 500 m) 进行了不间断观测。结果长观$_1$ 孔水位经过了一个稍微下降再回升的过程后, 基本稳定在 + 175.97～ + 175.99 m 之间。据此基本排除 O_2 长观$_1$ 孔突水的可能。

2. 地表水体及弋湾矿立井水位

14 采区上部地表水体进出水量相差为 11.9 m^3 / h, 其水位稳中有升。弋湾矿立井 (位于 14 采区上部的小井) 水位埋深在 2000 年 8 月 21 日为 37.2 m, 2000 年 9 月 3 日为 39.33 m, 水位下降 2.13 m。由此可见, 地表水及河流水不是本次突水的直接水源, 而弋湾矿立井水位自 2000 年 8 月 24 日后水位显著下降, 据此认为老窑水对突水源有一定补给。

3. 突水水质化验

把本次矿井水水质化验结果分别和本矿奥灰水、14301 工作面顶板水、15 轨道下山 $L_{7～8}$ 灰岩水及地表水水质进行对比, 发现 17 个水质指标中有 14 个与 14301 工作面顶板水质接近, 特别是其中的 SO_4^{2-}、Ca^{2+}、Mg^{2+}、HCO_3^-、CL^-、固形物、总硬度等主要指标, 而与其他各种水源水质指标相比则相差较大。

4. 突水特征

出水点部位在巷道偏上部煤岩结合处, 瞬间突水量大, 约 2 600 m^3 /h。出水时有大量冷空气涌出, 且突水量呈现出由小到大、再由大变小的复杂现象。

根据以上几个方面分析, 判断应为老空水而非底板突水, 即顶板的大量淋水造成条带面采空区积水。因此, 在恢复矿井上排除了注浆堵水方案, 转为采用强力排水方案。

(四)突水原因分析

大平矿 14 采区西翼全部采用条带法采煤, 回采工艺为炮采放顶煤一次采全高。该种采煤方法的特点是: 基本顶(砂岩)在直接顶(泥岩)垮落后并没有发生整体垮落,而是在两边煤柱的支撑下发生沉降或发生部分垮落,从而造成采空区不能全部被充填,形成蓄水空间。同时,顶板的弯曲导致顶板裂隙增多,加之2000年5~8月新密地区降雨量较大,大气降水不断地补给各含水层,并通过裂隙汇入采空区。当巷道围岩强度不足以抵抗逐渐增大的静水压力和矿山压力时,老空水即通过顶板砂岩裂隙进入巷道,从而造成本次突水淹井事故。

(五)矿井防治水措施

通过对突水原因的分析,结合大平矿14采区的具体情况,为彻底消除突水对大平矿安全的威胁,本着井上、井下综合治理的思路,对矿井水进行了以下治理。

(1)改造矿井排水系统,提高矿井排水能力。为此新施工一地面排水孔,新扩容水仓5 000 m^3,新增排水能力450 m^3/h。

(2)在14采区轨道巷、胶带巷各建一挡水墙,一旦溃水,能起到缓冲作用,为排水抢险赢得时间。

(3)由于地表水的补给是14采区顶板含水层含水性增强的一大因素,所以煤矿对14采区地表废旧井口进行了充填,对双泊河河床进行了以疏通、防渗为主的治理工程。

采取上述措施后,通过2001年雨季的观测,取得了较好的效果,14采区涌水量始终稳定在80 m^3/h左右。

(六)经验与教训

由于对水源分析正确,抢险措施得当,本次治水使得矿井在1个月后即恢复生产,并获得了一些宝贵的经验和教训。

(1)水文地质条件简单的矿井也要建立出水点台账及水质分析台账,对井田内各含水层都应有相应的地下水水质资料。

(2)豫西地区若顶板砂岩含水层含水丰富,在采用条带法开采尤其是倾斜条带开采时,应采取相应的防治水措施,以杜绝类似滞后出水事故的发生。

第二节　二$_1$煤层底板灰岩防治水

一、演马庄煤矿 25031 工作面突水

(一)概况

25031 工作面是焦煤集团演马庄矿 25 采区的首采工作面,主采煤层为二叠系山西组底部的二$_1$煤层,煤厚 6.4 m,工作面标高为 -130~-150 m。煤层直接顶板为砂质泥岩,厚 5.8 m,基本顶为大占砂岩,平均厚 16.25 m;煤层底板岩性为泥岩和砂质泥岩互层,厚8.91 m。石炭系太原组 L$_8$灰岩含水层,厚 7.2 m,岩溶裂隙发育,富水性强,距二$_1$煤层底板 19 m 左右,为本矿直接充水含水层。25031 工作面北邻 F$_{39}$正断层,之间留有断层煤柱 20~30 m。F$_{39}$断层走向近东西向,倾向南,倾角 52°~68°,落差 14 m。25031工作面位于该断层上盘,工作面内小构造和裂隙发育,具备底板突水的构造地质条件。

(三)突水经过

1999 年 4 月 7 日,25031 工作面回风巷回采到 39 m 处,工作面运输巷回采到 11 m 处时,距回风巷 27 m 的采空区底板突水,水量为 0.2 m^3/min。4 月 13 日,回风巷回采到 41 m 处,运输巷回采到 13 m 处时,距回风巷 28.5 m 的采空区底板再次突水,突水量为1.2 m^3/min(见图 4-2)。随着工作面向前推进,水量仍不断增加,直到 5 月 1 日,水量基本稳定在 2.5 m^3/min。

(三)突水水源

(1)第一次突水后的 1999 年 4 月 7 日,煤矿对突水点水质进行了化验并分析(见表 4-3)。该突水点阳离子中的 $Ca^{2+}+Mg^{2+}$离子的含量约是 K^++Na^+离子的 4 倍,从而可以推断出 25031 工作面突水水源来自底板灰岩的岩溶裂隙水。

6为突水点及顺序编号

图 4-2　25031 工作面平面示意图

表 4-3　顶底板水质分析对比表

取样点	主要离子的含量(mg/L)						含水量
	$K^+ + Na^+$	Ca^{2+}	Mg^{2+}	Cl^-	SO_4^{2-}	HCO^-	
-200 回风巷	7.25	0.70	0.61	0.50	0.63	7.43	顶板水
-200 运输巷	12.547	1.469	0.061	1.126	0.918	13.159	顶板水
27011 工作面	1.49	3.66	2.41	0.413	0.311	4.269	底板水
25031 工作面	1.21	3.56	1.29	0.76	0.631	5.341	底板水

(2)采用比拟法对 25031 工作面水量进行计算。根据演马庄矿 No.17 突水点和 9-1 孔的抽水试验资料,若八灰突水点水量为 1.7 m^3/min,则含水层水位下降 50 m。25031 工作面水位最大降深为 160 m,实际最大突水量为 2.5 m^3/min,大致符合 L_8 灰岩降深与水量的一般函数关系。因此,本次突水水源来自 L_8 灰岩。

(四)突水原因

1.断层构造

25031 工作面位于 F_{39} 断层的上盘(见图 4-3),该断层被 25 采区 3 条下山揭露时并没有发生突水。因此,考虑当时工作面的回采条件,仅保留 30 m 的断层煤柱。而 F_{39} 断层倾角在突水点变缓,断层上盘岩层的破坏程度及范围增大,留设的断层煤柱实际上是

断层破碎带及受 F_{39} 影响的裂隙带。因此,断层煤柱已失去了隔水性能,反而给八灰突水提供了通道。

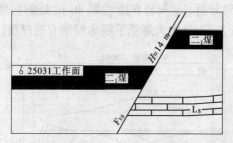

图 4-3　F_{39} 断层剖面图

2.矿山压力

在工作面未开采前,各岩层均处于应力平衡状态。随着煤层被开采,这种应力平衡遭到破坏。岩层内部要重新取得平衡,应力就要重新分布(见图 4-4)。首先,顶板岩层的重量将通过煤柱 A 和已经填实的采空区 D 这两个"桥墩"作用于底板岩层,使底板岩层受到破坏,产生底鼓和裂隙。据焦作矿区的经验,其破坏深度一般为 10 m 左右,这使得底板隔水层厚度减小。由于 A、D 的支撑,在 B、C 处形成减压带,底板水极易沿此带涌出。25031 工作面各突水点均在采空区附近的减压带内,随着采空区面积的增加,水量从 0.2 m³/min 逐渐增大到 2.5 m³/min。

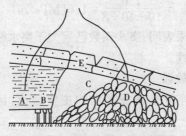

图 4-4　采区矿压分布示意图

3. L_8 灰岩水原始导高

25031 工作面开采前,煤矿对其进行了电法探测。根据探测结果(见图 4-5)分析,L_8 灰岩在距切眼 40 m 处的回风巷附近,原始导高为 8 m 左右,这大大降低了隔水层的有效厚度。

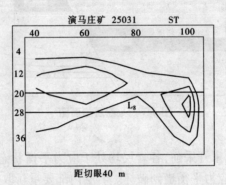

图 4-5　L_8 灰岩原始导高图

4. 突水系数

25031 工作面为 25 采区的首采工作面。回采前,煤矿曾在回风巷异常区施工了一个测压钻孔,测得 L_8 灰岩水压为 1.6 MPa,底板隔水层厚度为 19 m。对矿井突水系数进行验算:

$$突水系数 = \frac{水压}{隔水层厚度 - 底板破坏深度 - 原始导高}$$

$$= \frac{1.6}{19 - 10 - 8} = 1.6(MPa/m)$$

上述计算结果表明,突水系数已远大于突水临界值,采区具有很大的突水危险性。

(五)经验与教训

(1)断层破碎带是底板突水的主要通道,应留足断层防水煤柱。

(2)回采破坏了围岩应力平衡,矿山压力破坏了隔水层的完整性。因此,应改善回采工艺,即加快回采速度或强制放顶,尽量减小矿压对底板的影响。

（3）含水层的水压也是突水的主要原因。在条件允许的情况下，应提前进行疏水降压，以减少突水的水量或避免底板突水。

（4）由于有效隔水层厚度仅剩 1 m，最安全的措施就是在底板加固后再进行回采。

二、龙门煤矿一水平轨道下山突水

洛阳龙门煤矿始建于 1966 年，1976 年建成投产，年设计生产能力 30 万 t。一水平大巷 -60 m，二水平大巷 -250 m，矿井正常涌水量 700～800 m³/h。轨道下山在掘进过程中，于 1993 年 12 月 11 日发生突水，突水量达 2 200 m³/h，导致轨道下山和皮带下山被淹。井田内地层由老到新依次为寒武系、石炭系、二叠系、第三系和第四系，缺失奥陶系地层。寒武系灰岩含水层厚度 410～560 m，水位标高 +150 m，突水地点小构造发育（见图 4-6）。

经分析，本次突水系轨道下山 -209 m 处的老突水点（突水量为 143 m³/h）的出水口扩大，水量突然增加所至。突水后，矿区寒武系灰岩水水位下降了 3～5 m，初步判断突水水源应为寒武系岩溶水。

（一）治水方案

矿井突水后，为力保一水平和西翼生产，中央泵房启动 6 台大泵进行强排，虽然使矿井未被淹没，但每月排水电费高达 80 多万元，对于一个地方矿来讲，确实是非常沉重的经济负担。突水 3 个月后煤矿施工了注₁孔，注入水泥 300 多 t，但井下水量无变化。

1994 年 3 月开始第二期堵水工程。经研究讨论一致认为：由于灰岩岩溶发育不均一，通道方位难以直接确定，少量钻孔难以打中主要通道。若要在短时间内取得堵水成效，减少矿井排水，只有封堵坐标位置已比较清楚的下山突水口的巷道，待资金到位后，再对突水地区进行注浆加固。但封堵巷道难度也较大：①巷道宽仅

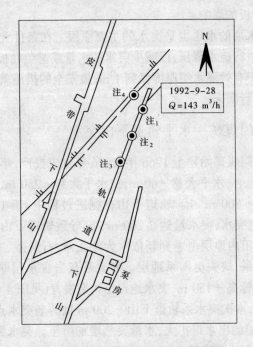

图 4-6 一水平轨道下山突水平面图

2.6 m,埋深 425～428 m,要想准确透巷,钻探必须保证 300 m 以上倾角为 0°,否则要进行导斜;②突水量大,用常规注浆方法必将大量流失浆液,难于封堵成功。

工程布设:分别在 9 号突水点外侧距掘进头 20 m 和 35 m 处布设注$_2$孔和注$_3$孔,要求打中巷道,在其西北侧布设注浆截流注$_4$孔(见图 4-6)。其中,两个透巷孔要求可以向巷道内大量充堵骨料,使地下水由管道流变为骨料空隙间的渗流,待将封顶之后,用高压旋喷法注入水泥浆,形成空填式水闸墙。在下山巷道封堵初见成效、水流速度得到初步控制后,再利用截流孔进行注浆封堵水源。

(二)堵水施工技术

1.注骨料工艺方法

本次堵水共注骨料 3 100.5 m³,选择 φ30mm 石子作主骨料、少量砂子作润滑剂。为减少骨料的运移距离,加入了适量的 φ40～50 mm 的骨料。

注骨料工艺方法如下:采用水砂、水石子射流混合送入系统,将骨料注入巷道内,骨料充填巷道后,下钻用高压水使骨料喷射扩散充满巷道。充填注骨料过程中,根据需要,每 1～2 天下鱼尾钻头探测巷道骨料堆积状况,并透孔。

注骨料大致可分为 3 个阶段。

1)中细粒石子和砂子混注阶段

1994 年 6 月 20 日至 7 月 31 日,由于供水不足,每天只能满足 1 台钻机注骨料用水,共注骨料 1 550.42 m³,水骨比为 30：1,井下涌水量 2 270 m³/h,水量未见明显减少。注₂孔骨料在巷道堆积高度为 1.3 m,注₃孔为 1.46 m。

2)中粗粒注骨料阶段

从 1994 年 7 月 30 日,专门从河南省防水排水站租用了 2 700 mφ152 mm 管路,加大了供水量,加快了注骨料进程,骨料粒径已增大,其中 φ50 mm 的占 20%。至 8 月 12 日,共注入骨料 1 835.07 m³,井下水量已开始减少,长观孔水位已开始上升。最后用鱼尾钻头反复搅动也注不进骨料。井下涌水由管道流变为渗流,轨道下山涌水量减少了 682 m³/h。

3)米石或砂子充填注骨料间的空隙阶段

从 1994 年 8 月 1 日至 22 日共注砂子 314.5 m³,下山水量减少为 640.9 m³/h,注₁孔、注₄孔水位已分别恢复到 +149.35 m 和 +133.08 m。骨料已将下山三联以下 295 m 全部充填,三联以上 10 m 为半巷,实际充填如图 4-7 所示。

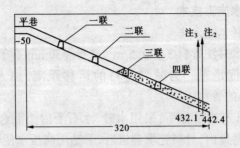

图 4-7　轨道下山骨料充填示意图(单位:m)

2.注浆加固工艺

充填骨料结束后,进行注浆加固。注浆工艺采用:一次搅拌使用射流搅拌系统,造浆量 5~15 m³/h;二次搅拌使用机械搅拌系统,这种注浆系统机械化程度高、劳动强度低、污染小,适合大规模快速堵水工程。在注$_2$孔、注$_3$孔的巷顶部及充填骨料之中进行注浆及旋喷加固,两孔交叉间歇进行注浆,用水泥浆使骨料胶凝,使之形成一个不透水的整体,从而起到堵水作用。注$_2$孔、注$_3$孔在巷道内旋喷结束后,又分别向下延伸了 10 m 和 5 m,并进行再次加压注浆,使下山巷道内充填物与周围岩体结合成整体。注$_2$孔、注$_3$孔与周围岩体旋喷加固结束后,又对注$_4$孔、注$_1$孔注水泥浆,进行再次加固,四次共注水泥 757 t。注浆工程结束时,各孔注浆压力都达到了设计要求(见表 4-4),寒灰长观孔水位已恢复到正常水位(见表 4-5)。

1994 年 6 月 13 日,井下东大巷车场口实测水量为 2 417 m³/h。1994 年 9 月 9 日,轨道下山和皮带下山水量在 -60 m 水平为 68.2 m³/h。1995 年 6 月 13 日,经实际排水,在轨道下山四联下 10 m 测量水量为 312 m³/h,减去突水前顶板非寒灰水量 127 m³/h,实际水量为 185 m³/h,堵水率达 94.8%。现已在四联以下 10 m 处建两座水闸墙,以保证四联以上采掘工程的安全生产。

表 4-4 注浆综合表

孔号	孔深 (m)	终孔直径 (mm)	导斜次数	注骨料 (m³)	注水泥 (t)	添加剂 (kg)	终压 (MPa)	吸浆量 (L/min)	稳压时间 (min)
注₁		91			24.0	108.4			
注₂	442.40	110	7	1 027.47	356.6	1 946.2	3.0	<40	15
注₃	432.10	110		1 926.57	162.6	880.0	5.0	<40	11
注₄	508.15	91		148.46	213.8	1 161.4	4.5	<40	7
合计	1 382.65		7	3 102.50	757.0	4 096.0			

注:注₁ 孔由河南煤田地质二队施工。

表 4-5 寒武系长观孔水位动态表 （单位:m）

孔号	层位	突水前	突水后	堵水后
6-5	寒灰	+149.54	+145.78	+150.80
17	寒灰	+151.23	+146.30	+151.68
注₁	寒灰		+139.80	+152.10

(三)经验与教训

(1)对矿井老突水点绝对不能掉以轻心、放任自流。若有水量增大迹象应立刻封堵,以免酿成重大事故。

(2)治水方案设计合理,注₂ 孔、注₃ 孔已打中巷道中心,注₄ 孔揭露了主要导水通道,工程质量全优,钻孔利用率达 100%。

(3)利用组合钻具和定向导斜技术打定向孔,是本次注浆堵水成功的关键。

(4)应用了先进的注骨料及注浆工艺系统。

(5)堵水效益显著。龙门风景区泉群及龙门矿区供水水源已恢复,解除了矿井被淹的危险,每年可节约排水费用 675 万元(按1994 年电费 0.23 元/(kW·h)计算)。

三、新安煤矿 12161 工作面突水

(一)矿井概况

新安煤矿是一座设计生产能力 150 万 t/a 的大型矿井,位于新安煤田新安倾伏向斜之北翼,开采二叠系山西组二$_1$煤。井田内大、中型断层稀少,但小断层和层间挠曲广泛发育。12161 工作面回风巷在掘进过程中未发现断层,而在其上部的 12141 工作面运输巷中有 3 条断层分布在突水点附近,其在煤层中落差均小于 3 m(见图 4-8)。其中,F_3 断层在 12141 运输巷揭露时落差为 2.3 m,在堵水段奥灰岩上部落差 4.4 m 左右,倾向北,倾角 75°～80°,于突水点正前方通过。矿井水文地质条件复杂,涌水量一般为 260 m³/h。

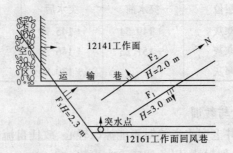

图 4-8　12161 工作面突水示意图

(二)12161 工作面突水分析

1. 突水经过

突水点位于 12161 工作面回风巷,距运输巷口 188 m,标高 +32.46 m。1995 年 11 月 5 日 17 时 55 分,发现该巷有水流出,班长即带 1 名工人进入查看水情,但已无法靠近,只能在距突水点 20 多米处用矿灯照射,发现距掘进头 7 m 处的上帮煤壁上有约为 ϕ100 mm 的一股涌水,冲力强劲。6 日 6 时,涌水量达到 4 260

m^3/h,远远超过矿井的排水能力,经全力抢救无效,于 7 日 17 时矿井被淹。

2.突水原因分析

煤层底板突水作为一种综合水文地质现象,受到多种因素的影响和制约。但归结起来,发生突水必须同时具备水源、突水空间和导水通道这 3 个条件。

1)突水水源

本次突水水源系 O_2 灰岩水,其依据是:①突水后,区域 O_2 灰岩水位大幅下降,其中新大 9# 孔(O_2 灰岩水井,距突水点 2 362 m)水位日降幅达 2 m,累计降深达 41.93 m;②注浆结束后,区域 O_2 灰岩水位开始大幅回升;③水质分析结果表明,突水为岩溶水水质类型;④ 突水量达到 4 260 m^3/h, $q = 0.170\ 7 \sim 2.140$ L/(s·m),只有 O_2 灰岩水才具有如此特大的突水量。

2)导水通道

本次突水导水通道的形成是地质构造、水压和矿压综合作用的结果。经注浆钻孔资料证实,F_3 断层破碎带是本次突水的主要通道。

突水点附近分布有 3 条小断层,严重破坏了底板隔水层的完整性。因而在采掘活动之前,水压高达 2.3 MPa 的 O_2 灰岩承压水沿断层破碎带就已导升至距二$_1$ 煤层底板较近的位置潜伏。突水发生前,12161 工作面回风巷已超前掘进突水点约 7 m;北部相邻的 12141 工作面正在回采,距突水点约 40 m。两工作面之间隔离煤柱宽为 15 m。于是,在突水点附近形成一个地质构造、水压和矿压的叠加带,并在它们的综合作用下,O_2 灰岩水突破煤层底板涌入巷道而造成突水灾害。由此可见,O_2 灰岩高压水源和 F_3 断层破碎带形成的导水通道是造成本次突水灾害的内因,而采掘生产活动是其外部因素。

(三)经验与教训

本次特大型突水灾害是由采掘活动遇到小断层而引发的。该矿小断层大量分布,且随着采掘生产活动向深部延伸,奥灰水压也随之升高。因此,矿井受到奥灰突水威胁日趋严重。

为了防止突水灾害再次发生,新安矿进一步查明矿井水文地质条件,建立一定数量的井上、下水文观测孔;围绕采掘生产活动,重点探测采掘工作面水文地质条件。目前,该矿采用瑞利波仪探测掘进工作面前方的水文地质情况,用坑透仪探测采煤工作面的内部构造,用直流电测仪探测巷道底板的含水状况。对于物探结果要进行综合分析,并配以钻探手段作进一步验证。对采掘生产活动容易造成突水的地段,可留设保安煤柱或预注浆加固底板,以防止再次发生突水灾害。

四、芦沟煤矿采区下山突水

(一)概况

芦沟煤矿设计年产原煤 60 万 t,采用立井分水平开拓方式,现开采二$_1$ 煤,煤层平均厚 6.4 m,倾角 20°~25°。由于煤层不稳定,地质构造、水文地质条件复杂,矿井投产后,一直没有达到设计生产能力,近几年产量只有 50 万 t 左右。

该井田共有新生界含水层、煤系砂岩裂隙含水层、太原组薄层灰岩含水层、奥陶系与寒武系岩溶裂隙含水层 4 个主要含水层。前两个含水层对矿井不构成威胁。太原组薄层灰岩从上向下主要有 L$_{7~8}$ 和 L$_{1~3}$ 两个含水层。其中 L$_{7~8}$ 灰岩上距二$_1$ 煤层底 4~10 m,矿井主要巷道均布置在该层灰岩中,是矿井正常涌水量的主要来源;L$_{1~3}$ 灰岩上距二$_1$ 煤层底约 60 m,$q = 0.170\ 7 ~ 2.140$ L/(s·m),正常情况下并不对矿井安全构成威胁,由于与奥灰很近(2~10 m),常与奥灰水沟通,在一定条件下,成为矿井突水的直接或间接水源。奥陶系、寒武系碳酸盐岩厚度大(470 m),岩溶发育不均,$q = 0.70 \sim 27.66$ L/(s·m),动、静储量大,是威胁矿井安全的主要突水水源。

(二)突水原因分析

1. 突水经过

1997 年 1 月,26 采区下山在做外环水仓时,在拐角处遇一落差为 1.5 m 的小断层而出水,初始涌水量很小,为 $3 \sim 5$ m³/h,向前掘进 44 m 后,水量突然增大,3 月 29 日水量达到 60 m³/h。停止掘进后,4 月 30 日达到 120 m³/h,5 月 3 日 23 时水量突增到 $450 \sim 500$ m³/h。到 5 月 4 日 4 时 40 分,突水点最大涌水量达 3 440.6 m³/h,矿井总涌水量 4 187.6 m³/h,超过中央泵房的排水能力,矿井全部被淹。

2. 突水水源

突水水源当时判定为奥灰、寒灰水,其主要依据是:其一是从 5 月 4 日突水至 5 月 8 日 6 时,奥灰长观孔 6-补 78(距出水点 180 m)及长观孔 1(距出水点 2 500 m)水位分别下降 8.85 m 和 1.89 m;其二是突水的水量大,水源丰富。

3. 突水构造分析

本次突水水源明确,突水位置基本清楚。从当时的钻探情况来看,出水点煤层底板下距奥灰约 80 m,南距边界魏寨断层 90 m 左右,并留有隔水煤柱,若仅因在外环水仓掘进时遇到落差1.5 m 的小断层是不可能穿透厚达 80 m 的二叠系、石炭系地层而导通奥灰水,所以在淹井之初,判定突水构造为魏寨分支断层,且距魏寨断层较近。突水后钻探查明,魏寨断层在此段已演化为缓倾角滑动构造,滑动面在此呈上凸的透镜状,南北约 100 m,东西方向尚未完全控制。突水点就位于滑动面的弧顶一带,底板隔水层被铲失,厚度仅为 $0.5 \sim 0.6$ m,加上落差 1.5 m 小断层,巨大的静水压力及矿压的共同作用,使奥灰、寒灰水直接突破底板隔水层涌入巷道(见图4-9)。

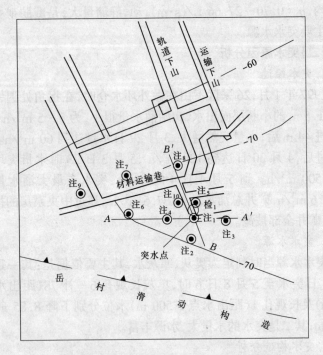

图 4-9 芦沟矿 26 采区下山突水及治水工程平面图

(三)主要治理技术

芦沟煤矿滑动构造带特大突水治理工程仅用 5 个多月时间,堵水率达 100%,其速度之快,在国内同类煤矿突水治理过程中是罕见的。由于滑动构造使含水层直接接近了煤层,所以治理水害的关键是改造含水层为隔水层。这就要注入较多的优质水泥材料,堵水难度大大增加。本次堵水主要治理技术有以下方面。

1.科学布孔

突水后,综合分析突水点地质构造,首先确定了第一期工程的布孔原则,然后根据所揭露的地质构造,及时修改了设计,进行了科学布孔,为本次工程快速堵水成功奠定了基础。

2. 采用新技术、新方法

根据各注浆孔的设计目的,在施工中采用组合钻具、齿轮钻头、化学泥浆、定向导斜、旋喷护壁技术等,为快速注浆提供了条件。

3. 立体注浆

本次滑动构造的注浆采用围绕突水点附近,在不同层段,采用大规模间歇性立体注浆,效果是显著的。一方面为提前排水创造了条件;另一方面有效地控制了浆液流失和无限扩散的问题,防止了不必要的材料浪费。

4. 大规模快速注浆

采用大规模、多系统快速注浆,平均日注水泥 316 t,日最高注水泥 472 t,居国内领先水平。

这次滑动构造快速治水复矿技术为同类型矿井水害的治理提供了可借鉴的经验,仅用了 137 d 就完成钻孔 11 个,进尺 4 430.55 m,共注入水泥 11 565.5 t,堵水率达 100%,实现了当年突水、当年治水、当年恢复生产的预期目标,丰富和完善了煤矿治水救灾的技术和理论。

第三节   一$_1$煤层底板灰岩防治水

一、王庄煤矿 45081 工作面运输巷突水

郑煤集团王庄煤矿位于郑州矿区西北。1999 年 5 月 31 日,该矿一$_1$煤层 45081 工作面运输巷遇断层发生滞后出水,实测最大涌水量 324 m^3/h,稳定水量 220 m^3/h,致使矿井总涌水量达到 650 m^3/h,接近矿井最大排水能力,严重威胁矿井安全生产。下面分析这次突水机理及经验、教训,以期为郑州矿区今后开采一$_1$煤层提供借鉴。

(一)矿井地质及水文地质概况

王庄井田主要地层发育有奥陶系、石炭系、二叠系、第三系、第四系,其中石炭系、二叠系为含煤地层,二叠系山西组下部的二$_1$煤层为矿井主要可采煤层,石炭系太原组底部的一$_1$煤层井田内大部分可采,为矿井的次要可采煤层。该井田为一较平缓的单斜构造,区内断层较发育,多为北西西向高角度正断层,断层性质多为张扭性,具有一定的导水性。井田北部边界南升北降的前高村正断层和南部边界北升南降的牛店正断层将井田抬起形成一个地垒构造。奥陶系灰岩含水层是开采一$_1$煤层的间接充水含水层。王庄井田矿井水文地质条件属简单—中等类型。

(二)突水经过

45081工作面为一$_1$煤层45采区第3个回采工作面。在此之前,曾回采过45041、45061两个工作面,采煤方法为倾斜长壁。45081工作面于1999年4月7日从运输大巷向北开口进巷,4月25日,在65 m处第三次揭露F$_8$断层,此处F$_8$断层产状为走向300°,倾向210°,断层面倾角80°,断层落差为14 m(见图2-6)。5月31日10时,在揭露F$_8$断层处开始出水,并伴有巨大响声,初始涌水量40 m³/h,水中挟带大量泥砂,水色为黄褐色呈浑浊状。至6月1日11时,水量逐渐增大,最大涌水量为324 m³/h,至6月4日水量趋于稳定,为220 m³/h,水色开始变清。矿井突水后总涌水量接近最大排水能力,严重威胁矿井安全生产。

(三)突水机理分析

从突水现象分析:在突水前几分钟,突水点有巨大的响声;突水初期,水色浑浊,呈土黄色,水中含大量泥砂,水量逐渐增大;后逐渐减小并很快趋于稳定。这一现象说明其突水机理为:①在强大的水头压力及矿山压力作用下,应力不断集中并达到极限状态,伴随着响声而发生应力释放,导致断层带充填物突然破碎形成薄弱带,水流经薄弱带突出;②在灰岩裂隙及断层带的充填物不断被冲刷的情况下,导水通道逐渐增大,而使水量增加;③奥陶系灰岩水的动储量不大。

(四)经验与教训

(1)对奥陶系灰岩岩溶及裂隙发育的不均一性认识不足。以前该矿在北石门曾 4 次揭露奥灰,均未见有岩溶和大的裂隙发育,揭露奥灰的采区二十多年来没有发生突水。因此,错误地认为该矿区奥灰含水层岩溶裂隙不发育,奥灰水对矿井安全生产无影响,而忽视了井田内奥灰含水层岩溶裂隙发育的不均一性。

(2)对断层的导水性认识不清。不同力学性质的断层,由于受力破坏程度、充填程度、再胶结程度的差异,断裂带富水性差异也较大,甚至局部贫水或阻水。即使同一条断层(尤其是扭性断层),受落差、水压、充填及开采程度的影响,导水性能也可能发生变化。F_8 断层即是属于后一种情况。此次揭露 F_8 断层前,在东部的运输大巷和 45061 运输巷曾先后 2 次揭露该断层,落差均为 3 m,既不含水也不导水。而此次揭露 F_8 断层,其落差达 14 m,仍然认为其不导水,在没有采取任何措施的情况下,沿断层带垂直向上作巷道,与对盘巷道贯通。长期放炮震动,破坏了断层带充填物的稳定性和完整性,在矿山压力及水头压力长期双重作用下导致突水。

(3)$-_1$ 煤层勘探程度不足。全矿井只有 36 个钻孔揭露 $-_1$ 煤层,揭露 O_2 灰岩的钻孔则更少,而 45 采区仅 1 个钻孔揭露 $-_1$ 煤层,其勘探程度严重不足。

(4)开采 $-_1$ 煤层必须相应增加矿井排水能力。该矿位于荥巩背斜的南翼,而位于该背斜北翼、同样开采 $-_1$ 煤层的王河煤矿、大峪沟煤矿、新中煤矿等,均属水文地质条件复杂的矿井,矿井排水能力均在 2 000 m³/h 左右,矿井涌水量也在 1 500 m³/h 左右。王庄煤矿原开采二$_1$ 煤层,水文地质条件简单—中等,而在决定开采 $-_1$ 煤层后,没有对该煤层的水文地质条件进行充分的论证,也没有增加矿井排水能力,造成出水后矿井排水能力接近满负荷运转,矿井安全生产因而受到严重威胁。

　　由上述一系列案例分析可知,河南省煤矿造成严重经济损失和人员伤亡的大规模突水事故都与断裂构造有关,而断裂构造对水害的控制形式均表现为断层本身对隔水底板的切割和破坏。因此,摸清矿区地质构造特征,探明矿区含水层分布规律,无疑是防治矿井水的关键所在。

第五章 矿井突水系统分析

第一节 矿井突水水源判别

矿井生产过程中经常发生突然性的突水事故,突水后及时准确判断突水水源是矿井防治突水工作中的关键所在。由于矿井水文地质信息缺乏,运用数学方法来分析水质化验资料,从而判断突水水源,不失为一种行之有效的矿井地质工作方法。

河南省矿井充水含水层主要有 5 层,自下而上依次为中奥陶统(O_2)灰岩含水层、石炭系第二层灰岩含水层(L_2)、石炭系第八层灰岩含水层(L_8)、二叠系(P)砂岩含水层、晚第三系(N)底部砾岩含水层。另外,还有煤矿开采时经常遇到的老窑水,它们都有可能成为矿井的突水水源。汪世花高级工程师自 1998 年开始对鹤壁矿区各充水含水层水化学特征、水化学环境进行细致深入的研究,并对多年来各含水层的水质分析结果进行了总结,从而揭开了河南省煤矿应用水质资料判断突水源研究的序幕。

一、矿区各含水层水质特征

(一)中奥陶系灰岩含水层

该层为碳酸盐沉积岩层,总厚约 400 m,上距二$_1$煤层平均 164 m,以厚层灰岩为主。岩层中岩溶裂隙发育,富水性强,在矿区的西部山区大面积出露,接受大气降水的入渗补给,循环条件好,水体交替强烈,是矿区的主要含水层,构成矿井安全生产的主要威胁。

灰岩的主要成分为 $CaCO_3$ 和 $MgCO_3$，虽难溶于水，但有 CO_2 存在时会部分溶解，发生如下反应：

$$CaCO_3 + CO_2 + H_2O \rightarrow 2HCO_3^- + Ca^{2+}$$

$$MgCO_3 + CO_2 + H_2O \rightarrow 2HCO_3^- + Mg^{2+}$$

这样就形成了奥灰水的 $HCO_3 - Ca + Mg$ 型水质，其主要水化学特征是：总硬度多在 $13°G \sim 18°G$ 之间，pH 值平均为 7.83，Ca^{2+} 浓度大于 Mg^{2+} 浓度，Cl^-、SO_4^{2-} 含量较低。

(二)石炭系第二层灰岩含水层

该层灰岩是下夹煤的直接顶板，平均厚度约 8 m，以溶蚀裂隙为主。除了在西部山区接受上覆第三系松散含水层的潜水补给和大气降雨入渗补给外，还要通过断层接受奥灰强含水层的对接补给。其含水量较大，是开采下夹煤的主要充水来源。由于煤系地层中富含的金属硫化物 FeS_2 在氧化环境中生成硫酸盐：

$$2FeS_2 + 7O_2 + 2H_2O \rightarrow 2FeSO_4 + 4H^+ + 2SO_4^{2-}$$

于是增加了 SO_4^{2-} 的含量，形成酸性矿井水。另外，因钙、镁的硫酸盐溶解度远大于碳酸盐溶解度，所以产生大量的 Ca^{2+} 和 Mg^{2+}，导致较高的硬度和矿化度。从大量的水质分析结果来看，其硬度一般在 $20°G \sim 48°G$ 之间，水质类型多为 $SO_4 - HCO_3 - Ca + Mg$ 型和 $HCO_3 - SO_4 - Ca + Mg$ 型。它与奥灰相比，具有较高的矿化度、较高的硬度和较高的 SO_4^{2-} 含量，pH 值一般在 $7\sim8$ 之间。

(三)石炭系第八层灰岩含水层

该含水层位于二₁煤层下 $30\sim40$ m，厚约 6 m，与第二层灰岩含水层的赋存条件相似，因其顶部是砂岩含水层而与二灰水质有差别。本身含水量有限，补给条件差，且部分矿区处于被疏干状态。典型的 L_8 灰岩水质为 $HCO_3 - SO_4 - Ca + Mg$ 型，总硬度平均 $30°G$。但在接受砂岩水的补给时就会出现与砂岩类似的水质类型，即为 $HCO_3 - Na$ 型，总硬度较低，一般都小于 $1°G \sim 2°G$，并出现较大的负硬度。

（四）二叠系砂岩含水层

二$_1$煤层顶、底板分布有二叠系的 S_{10}、S_9 两组砂岩含水层。其裂隙发育程度和富水性较低，水的补给来源有限，地化环境条件封闭，水体交替程度很差。由于砂岩中含有大量的钠长石和钾长石，经过风化水解和离子交换作用形成大量的 K^+、Na^+ 和 HCO_3^-，作用式为：

$$Na_2Al_2Si_6O_{16} + 3H_2O + 2CO_2 \rightarrow 2Na^+ + 2HCO_3^- + H_4Al_2Si_2O_9 + 4SiO_2$$

$$Ca(HCO_3)_2 + 2Na^+ \rightarrow 2NaHCO_3 + Ca^{2+}$$

在水中除有较高含量的 HCO_3^- 外，还出现 CO_3^{2-}，并使 Ca^{2+}、Mg^{2+} 以 $CaCO_3$ 和 $MgCO_3$ 的形式沉淀析出，再加上离子吸附作用致使 Ca^{2+}、Mg^{2+} 含量降低，Na^+ 含量升高，形成 $HCO_3 - Na$ 型水质，并以较高的负硬度和较高的钠离子含量区别于其他含水层，其pH 值一般都在 8.3 以上。由于该砂岩含水层离八灰较近，常会出现水力联系，所以其水质在部分地区演化为 $HCO_3 - Na + Ca$ 型，甚至演化为 $SO_4 - HCO_3 - Ca + Mg$ 型。

（五）第三系底部砾岩含水层

该含水层在河南省矿区发育不稳定，对采煤一般不会造成威胁。但在永夏矿区和鹤壁矿区尤其是冷泉、八矿一带，砾岩沉积稳定、厚度大、分布广，孔隙裂隙发育。该砾岩水受淇河入渗补给，富水性强，大部分直接覆盖于煤系地层之上，对矿井开采有直接的充水作用。因其与奥灰水形成过程相近而与之水质相似，多为 $HCO_3 - Na + Ca$ 型水质，但砾岩水在其入渗过程中因流经土壤带，Ca^{2+} 与 Na^+ 发生离子交换吸附作用，与奥灰相比 Na^+ 含量较高，加上其接近地表易间接受污染，Cl^- 含量也稍高于奥灰水。

（六）老窑水

老窑水多处于封闭状态，径流条件差，其矿化度很高。金属硫化物氧化生成大量的 SO_4^{2-}。由于 $MgSO_4$ 比 $CaSO_4$ 的溶解度大得多,所以在老窑水中 Mg^{2+} 的含量一般都高于 Ca^{2+} 的含量。老窑水区别于其他各含水层的特点是非常高的矿化度和 SO_4^{2-} 含量。

综上所述,各含水层由于其所处的地化环境不同,形成了各自不同的水化学特征,根据出水点的水质分析结果可以初步判断其水源。表 5-1 是从大量的水质分析试验中总结出来的各含水层主要水质分析指标的对比情况(皆取平均值),可作为快速判断突水层位的参考(汪世花,1998 年)。

表 5-1　各含水层主要水质分析指标对比情况

含水层	离子浓度(mg/L)						硬度(°G)			pH 值
	Ca^{2+}	Mg^{2+}	Na^+	SO_4^{2-}	Cl^-	HCO_3^-	总硬	暂硬	负硬	
O_2	73.22	21.72	8.85	37.12	9.53	292.37	15.33	13.49	无	7.83
L_2	155.04	33.28	14.02	273.89	11.19	297.17	29.36	13.65	无	7.52
L_8	137.34	45.26	31.4	193.68	15.74	438.28	29.66	17.22	无	7.74
S	17.75	10.25	226.65	6.72	58.96	534.12	4.80	4.80	21.79	8.69
N	77.65	25.99	40.31	61.02	27.62	313.52	16.89	13.70	无	8.07

然而,在实际生产中突水水源并不是某个单一的含水层,常常会出现混合水,使矿井水文地质工作难度加大。因此,应制定和完善合理有效的矿井水文监测体系,定期取水样分析,并根据水文地质条件、出水特点、出水量大小等因素综合考虑,掌握动态变化趋势,找出真正水源,及时提出正确的治理方案和预防措施,确保安全生产,使矿井水害降低到最低限度。

二、模糊概率法的运用

(一)数学原理

设识别对象的指标由 m 种因素所决定,组成因素集 U,可表示为 $U = \{u_1, u_2, u_3, \cdots, u_m\}$;识别对象有识别类别,组成识别类别集 V,可表示为 $V = \{v_1, v_2, v_3, \cdots, v_m\}$,模糊识别的实质是建立因素 U 到识别集 V 的映射 f,即 $U \rightarrow V$。

每个因素 $u_i(i = 1, 2, 3, \cdots, m)$ 对确定识别对象隶属等级的影响程度不相同,也就是说,各因素对确定识别类别的隶属关系起到不同的作用,通常把这种影响称之为权重,用 W 表示。因素的权重组成因素集 U 上的一个模糊子集,表示为

$$W = \{w_1, w_2, w_3, \cdots, w_m\}$$

其中,$W_i \geqslant 0$,且 $\sum_{i=1}^{m} W_i = 1.0$。

因素集的每个因素对于识别类别集的映射 f 可以确定一个模糊关系 R,它可用矩阵表示成

$$\{R\} = \{R_1, R_2, R_3, \cdots, R_m\}^{\mathrm{T}} \tag{5-1}$$

这样,(U, V, R) 就构成一个综合识别模型。对给定的模糊变换矩阵 R 和权重集 W 进行重复运算,即运用运算方法,得出模糊识别子集 B,即 $B = W \circ R$,由此得到因素集中所有元素对识别类别集 V 中各元素的隶属度。归一化处理后,以"隶属度相近的原则"最终确定识别对象(如某个水样)最有可能属于识别类别集中的哪一类别(如是奥灰水还是砂岩水等)。

(二)判别步骤

1.初步判别

各含水层水质类型差别较大,所以可将水质类型作为初步识别的主要依据。根据矿区地下水水质简单分析资料,确定出如下识别标准:

(1)水质类型呈 $HCO_3 - Ca + Mg$ 型的水可能是奥灰水、砾岩水、八灰水、砂岩水、老窑水 5 种类型之一,识别集 $V = \{$奥灰水,砾岩水,八灰水,砂岩水,老窑水$\}$。

(2)水质类型为 $HCO_3 - Na$ 型的水可能是砂岩水、八灰水、老窑水,识别集 $V = \{$砂岩水,八灰水,老窑水$\}$。

(3)水质类型为 $HCO_3 - SO_4 - Ca + Mg$ 型的水可能是二灰水、八灰水、奥灰水、老窑水和砾岩水 5 种类别之一,识别集 $V = \{$二灰水,八灰水,奥灰水,老窑水,砾岩水$\}$。

(4)水质类型为 $SO_4 - HCO_3 - Ca + Mg$ 型的水可能属于二灰水或砂岩水或老窑水,奥灰水和砾岩水很少会出现这种水质,识别集 $V = \{$二灰水,砂岩水,老窑水$\}$。

(5)水质类型为 $HCO_3 - Cl - Ca + Mg$ 型水可能是遭受人为污染的奥灰水或砾岩水或老窑水。

(6)当识别水样的水质类型为 $HCO_3 - Cl - Na + Ca + Mg$ 或 $Cl - HCO_3 - Na(Ca + Mg)$ 型水时,该水样可能是砂岩水或老窑水。

2.详细识别

水质类型呈 $HCO_3 - Ca + Mg$ 型、$HCO_3 - Na$ 型和 $HCO_3 - SO_4 - Ca + Mg$ 型水样数量多,采用模糊概率法和特征指标法识别;而其他类型的水样数量少,如采用模糊概率法识别无法保证找到合理的隶属函数,所以只能选择若干水质指标作为识别的特征因子,用常规的方法识别。以下以识别 $HCO_3 - Ca + Mg$ 型水为例,说明识别过程。

老窑水固形物含量非常高,砂岩水 Na^+ 含量高,Mg^{2+} 含量、$r(Ca^{2+} + Mg^{2+})$(摩尔含量)低。首先应用剔除法将老窑水和砂岩水与奥灰水、砾岩水、八灰水区别开来。

经过对同为 $HCO_3 - Ca + Mg$ 型的奥灰水、砾岩水、八灰水水质指标对比,发现奥灰水和八灰水水质指标非常接近,砾岩水同奥灰水、八灰水的总硬度以及 Na^+、Cl^-、SO_4^{2-} 和固形物含量相差比较大。因此,选这 5 个水质指标作为识别水源类别的因子,组成因素集 $U = \{Na^+, Cl^-, SO_4^{2-}, 固形物, 总硬度\}$,而取识别集 $V = \{I, II\}$,I 代表奥灰水或八灰水,II 代表砾岩水。

建立水质指标对两个水源类型的隶属函数,如 Na^+ 对 I(奥灰水或八灰水)的隶属函数为

$$\mu I(x) = \begin{cases} 1.0 & x \leqslant 5 \\ \dfrac{15 - x}{10} & 5 < x < 15 \\ 0 & x \geqslant 15 \end{cases} \quad (5-2)$$

Na^+ 为对 II(砾岩水)的隶属函数为

$$\mu II(x) = \begin{cases} 0 & x \leqslant 5 \\ \dfrac{x - 5}{10} & 5 < x < 15 \\ 1.0 & x \geqslant 15 \end{cases} \quad (5-3)$$

根据下式计算各指标对于各水源类别的平均隶属度

$$\mu = \frac{1}{b - a} \int_a^b \mu A(x) dx \quad (5-4)$$

奥灰水与砾岩水在总硬度、Na^+ 含量上有明显差异,在 SO_4^{2-}、固形物含量上差异不显著。为体现不同水质指标对判断水源类别的贡献大小,赋予每个指标不同的权重(见表 5-2)。

表 5-2　各水质指标的双重系数

因素	总硬度	Na^+	Cl^-	SO_4^{2-}	固形物
权重	0.35	0.3	0.2	0.1	0.05

按模糊事件的概率计算方式

$$P(A) = \sum_{i=1}^{\infty} W(x) \mu I \quad (5-5)$$

即可对水样进行验证性识别。

3.校正性识别

为提高识别正确率,并将奥灰水与八灰水区别开来,根据突水来源和突水量大小对模糊识别结果进行修正。顶板突水水源只能是砾岩水,而底板突水水源只能是奥灰水或八灰水,不可能是砾岩水。八灰水突水量一般不会超过 $50 \text{ m}^3/\text{min}$;奥灰为水源的突水,水量非常大。根据突水类型和突水量大小,不仅可以对模糊识别结果进行修正,而且还能将八灰水和奥灰水正确识别出来。

焦作工学院潘国营副教授等用上述方法对鹤壁矿区 84 个水样进行了验证性识别,正确识别出 77 个,识别正确率为 91.7%,识别效果是比较理想的,为判别矿井突水水源这一问题的解决提供了一条新的途径。

三、模糊贴近度法的运用

模糊模式识别是突水水源判别中常用的方法,它分为个体识别方法与群体识别方法。其方法是将已知突水点水质化验资料与井田内其他各含水层和可能构成突水水源的水质化验成果,用线性隶属函数转换成各自对应的模糊集合。设 R 为已知突水点水质的模糊集合,$S_i(i = Ⅰ, Ⅱ, \cdots, Ⅴ)$ 待定突水水源水质的模糊集合,然后计算 R 与 S_i 的贴近度,S_i 中与 R 贴近度最大者,便是欲寻求的突水水源。

在矿井水文地质信息缺乏、只能借助水质化验资料判断突水水源时,且在特定水源间各元素(离子)含量差别不大,难以作出判断情况下,利用该方法能获得较为满意的结果。该方法的优点是把传统的单个元素(离子)含量的对比,变为各种元素(离子)含量的综合对比,而且由定性化趋向于数据化与定量化(李栋臣,1993年)。

(一)模糊贴近度数学模型

用待定突水水源水质化验成果中各元素(离子)含量的测量值

来判断井下已知突水的突水水源是一个模糊问题,而隶属函数是模糊集合定量表现模糊概念的关键。基于地下水的元素(离子)含量是与其赋存介质中的元素种类、含量多少、地下水渗透途径的长短、水交替强烈程度等因素有关。结合此情况,取线性隶属函数为:

$$\mu(\alpha_i) = \frac{x_i - x^{(i)}_{\min}}{x^{(i)}_{\max} - x^{(i)}_{\min}} \tag{5-6}$$

式中　x_i——第 α 个水样化验资料中第 i 种元素(离子)含量实际测量值;

　　$x^{(i)}_{\max}$——所有水质化验资料中,第 i 种元素(离子)含量的最大值;

　　$x^{(i)}_{\min}$——所有水质化验资料中,第 i 种元素(离子)含量的最小值。

利用式(5-6)可将已知突水点的水质化验数据和待定水源不同元素(离子)测量值变成各自对应的模糊集合,贴近度则是衡量两个模糊子集之间的接近程度的有效度量。设 R、S_i 为论域 U 上的两个模糊子集,则 R 与 S_i 的贴近度记为

$$(R, S_i) = 1/2[R \otimes S_i + (1 - R \odot S_i)] \tag{5-7}$$

$R \otimes S_i$ 与 $R \odot S_i$ 是 R 和 S_i 的内积与外积。即

$$R \otimes S_i = \vee [\mu R(x) \wedge \mu S_i(x)] \tag{5-8}$$

$$R \odot S_i = \wedge [\mu R(x) \vee \mu S_i(x)] \tag{5-9}$$

当论域 U 上有模糊子集 S_{I},S_{II},S_{III},$\cdots$,S_i 时,R 也是论域 U 上的模糊子集。若 $I \in (\mathrm{I}, \mathrm{II}, \cdots, n)$,使 $(R, S_i) = \max(R, S_i)$,则认为 S_i 相对归属于 R,称 S_i 与 R 最贴近($1 \leqslant i \leqslant n$)。

(二)模糊贴近度法应用实例

河南省禹州市某地方煤矿 311 工作面位于井田北部边界,界于 F_1 和 F_2 断层相交块段内。工作面运输巷标高 + 36 m,承受水

压 1.8 MPa。二$_1$ 煤层与断层下盘寒武系岩溶含水层对接。在留 50 m 断层防水煤柱后,工作面继续进行回采至 7 m 处,直接顶垮落老塘内煤壁突水,突水点最终稳定水量为 40 m³/h。鉴于矿井抗灾排水能力弱,又有邻近矿井工作面回采后,引起寒武系岩溶水溃入造成淹井事故的先例,考虑 311 工作面紧靠 F$_2$ 断层,寒武系含水层超覆其上,故矿长决定停采,查明突水水源,在井田内、外寒武系岩溶含水层及石炭系 L$_8$、L$_9$ 灰岩含水层、井筒水、采面出水点和突水点分别采样化验,其结果见表 5-3。

表 5-3 井田内各出水点水质化验结果

地点 项目	311 突水点 R	井田外水井 ($\in$) S_{I}	井筒水 (P$_2$) S_{II}	井田内水井 ($\in$) S_{III}	中切眼水 S_{IV}	大巷底板 (C$_3$) S_{V}
总硬度	257.32	259.92	40.14	270.61	105.99	243.17
K$^+$	2.22	0.80	6.2	0.80	6.0	2.24
Na$^+$	15.00	8.00	106.7	8.80	66.00	22.00
Ca^{2+}	12.49	120.95	7.02	128.18	25.59	96.18
Mg^{2+}	43.31	39.30	13.14	39.55	30.42	47.06
Zn^{2+}	0.009	0.015	0.010	0.009	0.008	0.008
HCO$_3^-$	428.2	417.20	732.0	417.2	363.6	402.6
SO$_4^{2-}$	0.124	0.119	0.010	0.138	0.144	0.097
Cl$^-$	8.72	7.75	39.96	8.72	37.78	10.65
SiO$_2$	6.2	6.5	6.4	6.7	4.4	6.1
氨氮	0.02	0.02	0.83	0.01	0.42	0.02

为了正确判断突水水源,焦作工学院李栋臣教授利用表 5-3 所列数据将标准样本 R 和其他待选样本 S_i 中的各元素(离子)含量的测量值,用式(5-6)将它们变换成各自对应的模糊集合。即

R 为已知突水点的模糊集合,然后用贴近度的方法判别待选样本的模糊集合 $S_i(i=I,II,\cdots,V)$,其中贴近度最大者则是欲求的水源。计算成果见表 5-4。

表 5-4　各待选样本的模糊集合与标准样本的贴近度比较表

取样地点	模糊子集	R	S_I	S_{II}	S_{III}	S_{IV}	S_V
311 突水点	R	1.000	0.965	0.745	0.965	0.855	0.940
井田外水井(∈)	S_I	0.965	1.000	0.550	0.975	0.835	0.875
井筒水(P_2)	S_{II}	0.745	0.550	1.000	0.790	0.840	0.725
井田内水井(∈)	S_{III}	0.965	0.975	0.790	1.000	0.905	0.935
中切眼水	S_{IV}	0.855	0.835	0.840	0.905	1.000	0.825
大巷底板(C_3)	S_V	0.940	0.870	0.725	0.935	0.825	1.000

由表 5-4,判断 311 工作面突水水源为石炭系灰岩岩溶地下水。基于石炭系 L_8、L_9 灰岩含水层薄($L_{8\sim9}$ 厚 10 m)、动力补给弱、渗透性随深度而减弱的特点,加之寒武系强岩溶水不参与 311 工作面突水,故判断 311 工作面继续回采不会产生特大突水事故。此结论对 311 工作面处理作出正确决策提供理论依据,排除了在突水点外留 50 m 煤柱重开切眼回采的方案。经生产实践证实此结论正确,使矿井免于损失近 10 万 t 的煤炭资源。

上述应用贴近度分析结果是由 PC—1500 机自动完成,也可用计算器完成。该方法计算简单可靠,在水质化验资料横向对比中实现了定量化、数据化解释,为合理判断突水水源提供了科学依据(李栋臣,1993 年)。

第二节　矿井突水通道分析

在 20 世纪以前,由于生产规模和科学技术水平的限制,人们对于地下工程围岩只注意研究岩石的软硬与区别工程特性的好坏，很少怀疑其整体的稳定性。数百年来，随着生产和科学技术的发展，地下工程日益增多，规模也越来越大，由于大量出现灾难性地下水害事故，使人们认识到井巷围岩性质的好坏，不仅取决于岩石强度本身，而且还与岩石的完整性、地下水的作用等多种因素有关，从而提出了岩体的概念。

通常将工程影响范围内的岩石综合体称为岩体，而把切割岩体的这些地质界面称为结构面。这些界面经常是开裂的或易于开裂的，它导致地下水的径流与排泄，因而结构面常常成为矿井突水的通道。大型的突水事故一般由大型次生结构面（又称构造结构面）——断层和节理引起。

一、断层通道的特征分析

规模较大的断层常形成断层破碎带，其宽度为几厘米至数十米不等。破碎带由被挤压、错动形成的大小不一、粗细不等的岩石碎块、岩粉等组成，但它们常被胶结或在强烈的挤压作用下发生动力变质，某些矿物重新结晶，定向排列或产生一些新的变质矿物如叶蜡石、绿帘石、绿泥石、绢云母等。这种断层破碎带中所持有的动力变质岩称为构造岩。大量突水案例证明，构造岩的微观结构直接决定了破碎带含水性、持水性和透水性等水理性质，从而间接控制着矿井突水的强度和规模。根据破碎程度、重结晶及结构特征，河南省煤田构造岩又可分为下列几种。

(一)断层角砾岩

断层角砾岩主要是由大于 2 mm 的被搓碎的棱角状碎块及岩粉等经胶结形成，角砾仍保持原岩的矿物成分和结构。河南省煤田内发育的高角度正断层由断块掀斜所致。断层角砾岩是由保持原岩特点的岩石碎块组成。角砾胶结物为磨碎的岩屑、岩粉以及岩石压溶物质和外源物质。断层角砾岩中角砾的棱角常被磨蚀，所以,角砾多成透镜状、椭圆状。角砾常具有定向排列,有时排成雁列式。胶结物有时也显示定向排列的特点,围绕角砾排列,甚至发育成流劈理。也有一些断层角砾岩中的角砾是带棱角的,这类角砾岩中的角砾形状多不规则,大小不一,杂乱无章。角砾岩中的角砾一般在 2 mm 以上。断层角砾岩在地应力和地下水渗透力的共同作用下,易发生流砂、管涌等井下碎屑流事故,形成管道式内边界。管道式内边界中的地下水流多呈管道流,水力条件较为复杂。由管道式内边界所形成的矿井充水通道较为畅通,充水强度较强,一般容易造成生产矿井的突水事件甚至恶性突水淹井事件。

(二)碎粒岩

碎粒岩主要由小于 2 mm 的原岩碎粒并杂以岩粉经胶结形成,能用放大镜分辨原岩成分。地下水在碎粒岩中的运动符合线性渗透定律,渗流介质以多孔多裂隙介质为主。由此类断层带引起的各含水层组地下水涌入矿井的过程往往是渐变的,而不是突发性的。因而此类内边界一般对矿井直接形成的水害威胁相对较小,但对矿井直接充水水源的充水强度却有较大影响。

(三)糜棱岩

糜棱岩由被碾碎成均匀细小的粉末碎屑胶结而成,以小于 0.05 mm 的颗粒为主。只有在显微镜下才能看出颗粒的成分和结构特征,外观致密,类似硅质岩。矿物有重结晶、重组合现象。除含有石英、长石等原岩矿物外,常含有一些变质矿物。风化后常呈岩粉或泥状。糜棱岩水理性质不稳定,多裂隙的糜棱岩呈透水性,而胶结紧密的糜棱岩则呈隔水性。

(四)断层泥

在断层破碎带中常可见到厚度不等的泥状物质,脱水干燥后呈硬块状,它们是糜棱岩、碎裂岩或岩粉等经风化而成的断层泥。大多由亲水性较强的黏土矿物及石英等组成。断层泥压缩变形大、强度低,常给工程带来很大的危害,但对地下水的渗流起明显的阻隔作用。据河南省矿建部门和生产井反映,断层泥遇水一般迅速泥化,泥化地带地下水渗流量很小,只要采取适当措施,井巷都能顺利通过。

本书第二章第二节根据作者主持的专题《煤层构造岩顶板工程地质水文地质特征及灾害防治研究》滑动构造控水部分,已详细讨论了河南省煤田构造岩的研究方法及对矿井水害的控制意义,此处不再赘述。

二、节理通道特征分析

节理虽然是普通而广泛发育的构造,但是还没有一套系统的研究方法。目前的研究方法因任务和目的的不同而异。大水矿区研究节理的根本目的就是查明井巷围岩节理发育的优势方位和发育密度,从而了解矿区区域渗流场的方向和矿井涌水量,以指导巷道优化设计和矿井的防治水工作。尽管水文地质研究节理的任务和目的不同,但目前研究节理的基础则是大量的测定、观察和统计工作,在统计基础上,结合地质构造等有关资料、测试结果和模拟试验进行分析。下面所讨论的主要是一般性区域构造研究中节理观测的内容和方法。

(一)节理的野外观测

一些地区或地段上的节理,尤其是主节理常常清晰地显示于航片甚至卫片上。在野外工作前的准备阶段对航片和卫片进行解译,概括地宏观认识工作区节理的特点和规律,常会收到事半功倍之效。在航片和某些卫片上,可以初步分析和确定节理组系的方位、产状及其与各级构造的关系和节理的组合型式及其变化,以及节理的发育程度、展布范围和被充填情况等。

1.观察点的选定

观察点的选定决定于任务。一般不要求均匀布点,而是根据地质情况和节理发育情况布点,做到疏密适度。选定观察点时还要考虑以下几点。

(1)矿区或井下露头良好,最好能在三维空间观测,其露头面积一般不小于 10 m²,便于大量测量。

(2)构造特征清楚,岩层产状稳定。

(3)节理比较发育,组系及其相互关系比较明确。

(4)观测点应选在构造上的重要部位,并且在不同构造层、不同岩系和不同岩性层中都应布点。

2.观测内容

节理的观测主要包括以下几方面。

(1)地质背景的观测。在对节理进行观测前,首先应了解观察地段的地质背景,其中包括构造层及其组成、地层及其产状、岩性及成层性、褶皱和断层的特点,以及测点所在的构造部位等内容。

(2)节理的分类和组系划分。对节理要进行分类,划分组系。如有主节理发育,应区分主节理和一般节理。如果在工作之初未能对节理进行分类或划分组系时,在收集到一定资料后应及时进行分析概括。

(3)对节理进行分期和配套。节理的分期和配套主要应在野外进行,野外与室内相结合,反复检验。

(4)节理发育程度的研究。岩性和层厚对节理的发育有明显影响。岩性对节理发育程度有明显的影响。在塑性岩层中剪节理较张节理发育;在同一应力状态下,塑性岩层中主要发育剪节理,脆性岩层主要发育张节理;塑性岩层中共轭剪节理的夹角常比脆性岩层中的夹角大;节理的间距(或密集程度)也因岩性和岩层厚度而有差异。

岩层的厚度影响节理发育的间距。岩层越厚,节理间距越大。由于层面的发育会降低岩石的强度,所以岩性相同而层厚不等的岩石,在同样外力作用下,薄层中的节理间距小、密度大。

节理发育程度常以密度或频度(U)表示。节理密度或频度是指节理法线方向上单位长度(m)内的节理条数(n),即 $U = n/m$。如果几组节理都很陡,可以选定单位面积测定节理数。为了了解岩石的渗透性及其影响,除计算节理密度外,还要计算缝隙度(G),就是节理密度(U)与节理平均壁距(t)的乘积,即 $G = Ut$。

节理发育程度也可以单位面积内节理长度来表示,如一定半径(r)的圆内节理长度之和(I),即

$$U = \frac{I}{\pi r^2}$$

为了确定节理密度与岩性和层厚的定量关系,在野外可以根据岩性和层厚选定一基准层,然后将不同层厚和岩性的岩石中测得的节理密度进行对比和换算,以求出其比值或系数。

傅昭仁还提出分析和测定一定地区节理的均匀度。所谓均匀度是研究节理在一定空间发育的离散程度和变异状况。

这些都是深入研究节理中有待探索的问题。

(5)节理的延伸。从节理与岩层的关系,可分为层内节理和穿层节理。在观测节理顺走向的延伸上,应注意节理的平行性和延伸长度。对于区域性节理,应注意节理走向在区域范围的变化趋势。

(6)节理组合型式的观测。岩石中的几组节理,常组合成一定型式,将岩石切成形状和大小各不相同的块体。要注意观察节理组合型式和截切的块体所表现出的节理整体特征。节理切割的岩块的大小和形状,对油藏的泄油和运移十分重要。对区域性剪节理中的等距性和分级等距性,应注意测定。

(7)节理面的观察。在节理的野外研究中,应注意对节理面的观察。观察内容包括节理面的形态和结构细节、节理面的平直程度、节理面是否有擦痕和羽饰构造微剪切羽裂及其与主剪节理的几何关系。

(8)节理含矿性和充填物的观察。节理常常是重要的含矿构

造,应注意节理是否含矿以及含矿节理占节理总数的百分数。

节理常常被石英、方解石等矿物充填。充填脉的晶体常显示纤维状的习性。应注意观察纤维晶体的方位及其与节理壁的几何关系。按照纤维晶体生长方向与脉壁的关系,可分为同向型和反向型。同向型纤维晶体自两壁向中心生长,分别自两个脉壁生长的两组纤维晶体于脉中心部位遇合,形成一条锯齿状中线(带)。反向型纤维晶体自中心向两壁生长,生长的晶体横过岩脉,在中心留有一条包裹体带。从纤维晶体产状与脉壁产状的关系看,可以垂直脉壁或斜交脉壁,也可呈 S 形产出。

3. 节理的测量和记录

在节理观察点上,对上述各方面进行观察的同时,要进行测量和记录。

节理产状的测定方法与测定岩层产状要素一样。如果节理面未充分揭露而不易测量时,可将一硬卡片插入节理内,直接测量卡片的产状。如果节理产状不太稳定而数据精度要求很高时,应逐条进行测量。如果节理按方位和产状分组明显,也可分组测量,每组中测量有代表性的几条节理,然后再统计这组节理的数目。

测量和观察的结果一般填入一定表格或记在专用野外簿中,以便整理。记录表格可根据目的和任务编制,一般性节理观察点记录表格如表 5-5 所示。

表 5-5　节理观测点登记表

点号及位置	地层时代、层位和岩性	岩层产状和构造部位	节理产状	节理组及其力学性质和相互关系	节理分期和配套	节理密度	节理面特征及充填物	备注

(二)节理资料整理

在野外对节理进行观测并收集了大量资料后,应及时在室内加以整理,进行统计分析,以查明节理发育的规律和特点及其与该区有关构造的关系。节理的整理和统计一般采用图表形式,主要有玫瑰花图、极点图和等密图等。近年来也有人用计算机处理节理测量结果。

1.基本节理图

节理图类型很多,各有特点和优缺点,分述如下。

1)节理玫瑰花图

节理玫瑰花图编制简便,反映节理方位趋势比较明显,是统计节理的一种较常用的图式。节理玫瑰花图分为玫瑰花图和倾斜玫瑰花图两类。

节理走向玫瑰花图主要反映节理的走向方位,并在半圆内作图。如图 5-1 所示,明显地显示出有三组最发育的节理,走向分别为 N10°~20°E、N40°~50°W 和 N70°~80°E。这种图不能反映各组节理的倾斜。因此,走向玫瑰花图多用于统计产状直立或近直立的节理。为了表示不同性质的节理,可以分别编制不同性质的节理走向玫瑰花图,或在一幅图上用不同色调分别表示不同性质的节理。

节理倾斜玫瑰花图是根据节理的倾角或倾向编制的,它需要在整圆内作图。

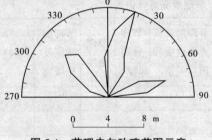

图 5-1　节理走向玫瑰花图示意

2)节理极点图

节理极点图是用节理法线的极点投影绘制的。如图 5-2 所示,即是按节理面法线产状投影到投影网(吴氏网或赖特网)上的节理极点图。图上半径方位代表节理倾向,自正北(0°)顺时针转动 360°,半径长度可表示节理倾角,自圆心到圆周为 0°～90°。极点图的优点是编制简便,所表示的各个节理的产状比较准确,能明确反映节理发育的优势方位。不过所反映的节理优势方位也是定性的。为了更准确地反映其发育程度和优势方位,可采用等密图。

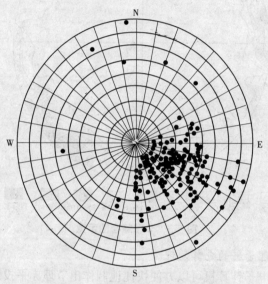

图 5-2　节理极点图示意(赖特网)

3)节理等密图

节理等密图是在节理极点图上编制的。如果极点图是在等面积网上制作的,则用密度计统计节理极点;如果极点图是在吴氏网上制作的,则用普洛宁网统计节理极点。在标有节理极点密度的透明纸上,用插入法勾绘出节理极点等值线,并将各等密度线区间的节理极点数换算成极点百分数,即成等密图(见图 5-3)。等密图的绘制比较费工,但这种图能比较准确地反映出节理发育程度及其优势方位,在节理研究中较常采用。

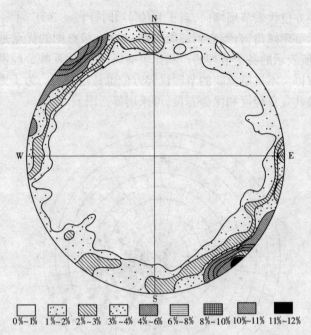

图 5-3 节理等密图示意

2. 节理资料的电算处理

利用电子计算机可以方便快捷地制作出节理赤平投影图来。

野外测量的节理数据,除了用等面积网制作极点图和等密图之外,还可按极射赤平投影和等面积网制作原理,编成电脑程序,运用电子计算机来处理节理数据,作出各种投影图。如果测量的节理数据很多,在野外又识别出了共轭剪节理时,则可把数据整理、统计,求出主应力轴和研究恢复应力场,编成完整的程序,通过开关信息控制,得出所需要的结果。

实际工作中,为了便于穿孔和向机内输入数据,要求测量节理时按规定的表格登记或在室内把节理数据整理好,切忌把不同节理点上的不同区段的数据混搅在一起。否则,电子计算机绘出的图形是很难解释的。由于已经有了现成的有关投影图的程序,地质人员可以直接将节理数据登记表送到计算站,提出要求,由操作员或计算员帮助制图就行了。图 5-4 所示是电子计算机统计的162 个节理的百分比极点图,图中数字代表百分数,A~F 依次代表 1%~15%,横线代表不足 1%。

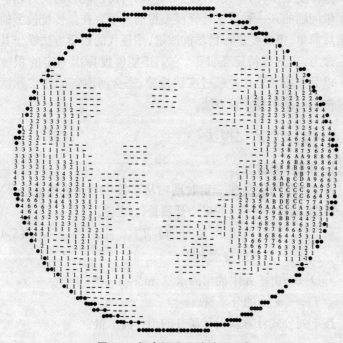

图 5-4　极点百分比统计图示意

第三节　矿井涌水量计算

矿井涌水量计算是矿井防治水的一项基础工作,它贯穿于矿井勘察、设计、施工、生产全过程。矿井涌水量的大小不仅是衡量矿区水文地质条件复杂程度的重要参数,也是关系到煤矿安全生产的最主要的地质因素。因此,正确地预测矿井涌水量,不仅可以设计井田的排水能力,决定井田的经济效益,更主要的是能够为矿井防治水决策方案的制定直接提供定量的科学依据。

众所周知,由于研究问题的目的和要求各不相同,且矿井水文地质条件复杂多样,研究程度也各有差异,所以能够解决一切矿井涌水量问题的某一种数学计算模型目前并不存在。传统模型的原理虽然简单,但还要进行科学的改进,用现代的数学方法赋予其新的生命力,在某些特定条件下,它们还能够发挥出一定的积极作用。以下介绍的是几种经过实践检验、适合河南省矿井实际情况的最常见的涌水量计算方法。

一、水文地质比拟法

(一)富水系数法

富水系数指的是在一定时期内从矿井中抽出的水量(m^3)与同一时期(通常为一年)的矿产开发量(t)之比。

$$K_B = Q/T \tag{5-10}$$

式中　K_B——矿井的富水系数;

　　　Q——由矿井中抽出的水量,m^3;

　　　T——矿产的开采量,t。

按下列公式计算新设计矿井的预计涌水量:

$$Q = K_B \cdot T_1 \tag{5-11}$$

式中　Q——新设计矿井的预计涌水量;

　　　T_1——新设计的矿井产量;

　　　K_B——根据当地生产矿井资料所确定的富水系数。

这种方法适用于水文地质条件大致与已测富水系数的生产井巷相似的矿床。当然,新勘探或拟开采矿床的开采技术条件(开采方法、开采规模等)也应与旧生产井巷相同。

(二)单位涌水量法

矿井涌水量一般与水位降深、开采面积大致成直线关系。

生产矿井的单位涌水量 q_1 按下式计算:

$$q_1 = \frac{Q_1}{F_1 s_1} \qquad (5\text{-}12)$$

式中　Q_1——生产矿井的总涌水量;

　　　F_1——生产矿井的开采面积;

　　　s_1——生产矿井的水位降低。

根据生产矿井的单位涌水量可推算设计新矿井的涌水量 Q_2:

$$Q_2 = q_1 s_2 F_2 \qquad (5\text{-}13)$$

式中　F_2——新矿井的设计开采面积;

　　　s_2——新矿井的设计水位降低。

这种计算方法通常得出偏高的结果。这是因为在计算时,我们假定 Q 与 s 成直线关系,而实际上涌水量的增长速度要比降深增长慢,尤其是潜水。因此,较为合理的比拟式应为

$$Q_2 = Q_1 \frac{F_2}{F_1} \sqrt[m]{\frac{s_2}{s_1}} \qquad (5\text{-}14)$$

式中　m——与地下水流态有关的系数,根据二次抽水试验资料确定,一般介于 $1\sim2$ 之间。

实际情况中,矿井涌水量与其影响因素之间的数学关系远较上述两种情况复杂得多,所以利用水文地质比拟法只能得到一个非常概略的涌水量。

二、水均衡法

水均衡法是预测矿井涌水量的一种方法,也是验证其他方法的一种手段。水均衡法实质在于定量研究矿区地下水在一定时期

内各收入项与支出项,利用水均衡法计算全矿区最大可能涌水量。这种方法只要对均衡区边界选择恰当,根据气象、水文方面的一些数据就能对矿井涌水量作出评价,而大大减少了求参数、解析计算等过程,而后者正是常常造成勘探费用大、计算不准确的主要原因。水均衡法在露天矿涌水量预测中最为常用,尤其在非均质现象严重的暗河型岩溶矿区,其他方法难以测定涌水量时,水均衡法往往是目前惟一可使用的计算方法。但是边界复杂、水文地质条件复杂地区,要求确定的均衡项目很多,此时给均衡要素测定带来很大的困难和繁重的工作量,水均衡法的繁而不准的弱点就暴露出来了。

为了保证水均衡计算的精度,首先要求对矿区水文地质条件有一个正确的认识,要求合理圈定均衡区范围,正确测定各项均衡要素数据。

合理圈定均衡区范围,与减少均衡要素项目及其测定方法是否简便关系很大。均衡区应力求构成一个独立的水文地质单元(山间盆地、自流盆地、自流斜地)或独立的某一水文地质区。选择明显的隔水、补给或排泄边界作为均衡区的边界,尤其是将隔水边界(如隔水层、隔水断层、地下分水岭、岩体)选定为均衡区边界最好。如果实在没有理想的边界作为均衡区边界时,也可选某一等水位线或流线圈定边界。不过这样将给均衡计算增添许多工作量。

矿区充水含水层的收入项一般由下面几部分组成:

Q_1——大气降水渗入补给充水含水层的水量,$m^3/$日;

Q_2——从其他地区同一含水层中流入矿区充水含水层的水量,$m^3/$日;

Q_3——从矿区内其他含水层流入充水含水层的水量,$m^3/$日;

Q_4——地表水渗入补给充水含水层的水量,$m^3/$日;

Q_5——灌溉水、废水、人工补给水、排水流入矿区充水含水层的水量, m^3/日。

矿区充水含水层的排泄量一般由下列几部分组成：

Q_1——从充水层中蒸发消耗的水量, m^3/日；

Q_2'——从矿区充水层流出矿区外围同一层中的水量, m^3/日；

Q_3'——从矿区充水层流向其他含水层的水量, m^3/日；

Q_4'——充水含水层排入地表中的水量, m^3/日；

Q_5'——矿区充水层的排水和供水量, m^3/日。

在一个均衡计算时期 Δt 内,地下水的补给总量与排泄总量不平衡时,将引起矿区充水层中地下水的储量变化 ΔV。对于潜水层来讲,此储量变化将反映在该时期潜水位的上升或下降 Δh；而对于承压充水层而言,将引起承压充水层的水压升降 Δs,导致弹性水量的释放或储存。因此,水均衡方程式的一般形式如下。

对于潜水充水层：

$$\pm \frac{\Delta h}{\Delta t} F\mu = (Q_1 + Q_2 + Q_3 + Q_4 + Q_5) -$$
$$(Q_1' + Q_2' + Q_3' + Q_4' + Q_5') \qquad (5\text{-}15)$$

对于承压充水层：

$$\pm \frac{\Delta s}{\Delta t} F\mu_e = (Q_1 + Q_2 + Q_3 + Q_4 + Q_5) -$$
$$(Q_1' + Q_2' + Q_3' + Q_4' + Q_5') \qquad (5\text{-}16)$$

式中　F——均衡区面积, m^2；

μ——潜水层给水度；

μ_e——储水系数。

在具体条件下,上述均衡方程式可大大简化,因为某些组成部分完全缺失或其量很小,可以忽略不计。最简单情况下的均衡方程式为：

$$Q_5' = Q_1 \pm \frac{\Delta h}{\Delta t} F\mu \qquad (5\text{-}17)$$

$$Q_5' = Q_1 \pm \frac{\Delta s}{\Delta t} F \mu_e \qquad (5\text{-}18)$$

从上两式可清楚地看出,矿井涌水量主要由大气降水渗入补给以及矿山疏干消耗储存量两部分组成。

单位时间内大气降水补给量按下式算出:

$$Q_1 = \frac{AF\lambda}{365} \qquad (5\text{-}19)$$

式中　A——年降水量,m;

　　　F——大气降水渗入充水层的面积,即充水层的出露面积,m^2;

　　　λ——大气降水渗入系数。

消耗储存量除用式(51-7)和式(5-18)两式右边第二项表示并确定外,在潜水条件下,还可用下式精确计算:

$$Q_5 = \frac{\pi\mu(H^2 - h^2)(R_t^2 - r_o^2)}{4t\zeta H(\ln R_t - \ln r_o)} \qquad (5\text{-}20)$$

式中　H——排水前的潜水层厚度,m;

　　　h——排水 t 日后矿井范围内的下降水位,m;

　　　R_t——排水 t 日后矿井的影响半径,m;

　　　r_o——矿井引用半径,m;

　　　ζ——系数,取决于 h/H 和 r_o/R_t,查表5-6。

表 5-6　矿井涌水量计算 ζ 系数表

r_o/R_t	h/H			
	0.2	0.4	0.6	0.8
0.5	0.77	0.80	0.83	0.85
0.1	0.86	0.88	0.91	0.93
0.01	0.93	0.95	0.96	0.97
0.001	0.95	0.96	0.97	0.98
0.000 1	0.97	0.97	0.98	0.99

对于承压—无压条件下,储水量的消耗可首先利用上述方法分别算出承压的弹性释放水量和无压区的疏干排水量。

三、数值模拟法

(一)平面法

20 世纪 70 年代中后期,随着电子计算机的发展和离散数学的应用,数值模拟法被广泛地应用于水文地质计算。它有运算快、解决复杂问题能力强的特点。数学模型可分为稳定状态和非稳定状态模型两种。假设地下水的垂直分速度可以忽略不计,则矿区地下水运动状态可用连续方程(5-21)来表示:

$$T\frac{\partial^2 h}{\partial x^2} + T\frac{\partial^2 h}{\partial y^2} + Q = \mu^* \frac{\partial h}{\partial t} \qquad (5\text{-}21)$$

式中　h——含水层的水位,m;

　　　T——含水层的导水系数,m^2/天;

　　　μ^*——储水系数;

　　　Q——单位时间内单位面积上的垂向补给含水层的水量,
　　　　　　m/天,抽水取负号。

偏微分方程(5-21)是数学模拟的出发点。在理论上,只要给定初始条件、边界条件和含水层的基本参数,该方程是可以得到定解的。然而,要用解析法解该方程,只能适用于边界条件简单、含水层均质的情况。对于非均质、边界条件复杂的条件,只能用数值解来计算。任何一种数值解,都要把渗流区首先分成有限个几何图形简单的小单元,通常分成有限个三角形单元或长方形单元。在条件复杂地段,可以分得密些;条件简单地段,划分得可以稀些。只要这些单元划分得足够小,每个单元内含水层可视为均质含水层,这些单元内的水头函数可近似看做线性函数。由此,利用有限差分方法或者变分法把地下水连续方程(5-21)转化成有限个线性差分方程组或泛函极值线性方程组。用电子计算机求出这些方程组的解就等于求出方程(5-21)的解。只要我们给定边界条件、初始条件和水文地质参数,就能计算出渗流区内各处的水位变化。然而,通常这些参数或边界条件往往是未知的。为此,一般先给渗流区假设一组初值来解模拟方程,看看计算的水位变化与抽放水试验的实际观测资料是否一致。如果不一致,就要对边界条件或含水层参数进行修正,反复调试,直到基本一致为止。最后用调试满意的参数和边界条件进行矿井涌水量预测。

(二)立体法

由于平面法未曾考虑断层构造(内边界)对矿区充水含水层的垂向补给,其计算结果显然有不足之处。1989年,中国矿业大学(北京)武强教授在充分认识我国华北型煤田在剖面和平面以及内、外边界等方面的区域矿床水文地质特征的基础上,首次将地下水"拟三维"有限元素流数值模型和优化管理模型应用于该类型煤田。该模型从立体空间的角度刻画了地质实体,既注意了浅部条带状隐伏露头内边界所引起的多层充水含水层之间的水力联系,又考虑了深部点、线状导水内边界的水量交换,同时还叠加了呈整体面状展布的裂隙网络型内边界的越流,从而彻底结束了传统的仅根据单层充水含水层预测该类型煤田矿井涌水量的历史,克服了前人在这个问题上研究的缺陷,更确切地反映了客观实际,减小了由于数学模型假设条件与地质模型客观条件相差太大而引起的计算误差,圆满地解决了多年来一直未能妥善处理的数学模型与地质模型的脱节问题,使我国矿井涌水量预测研究工作进入了一个新的发展阶段。它无疑将对解决我国整个华北型煤田开采二叠系煤层所遇到的底板突水和开采石炭系煤层所面临的顶、底板突水问题具有重要的理论指导意义和实用价值。

"拟三维"渗流模型除了较以往的模型更真实地反映了地质模型的主要特征外,还具有另外两个重要功能。其一就是模型本身不仅是一种简单常规的水文地质数值模拟方法,而且也是一项能够为矿井治水决策方案的制订直接提供定量科学依据的防治水技术。具体说,该模型不仅可对不同充水含水层、不同开采水平、不同井下工程巷道的各种涌水量作出预测,更重要的是可对沟通多层充水含水层水力联系的各类内、外边界进行定量化研究,包括模拟它们的具体空间展布位置,确定它们的垂、侧向渗透参数,预测它们的渗透量和补给量大小以及所占总涌水量的比例。这些技术指标均是制订矿井具体防治水决策方案的科学依据。"拟三维"渗流模型的另一个重要功能就是可应用于建井巷道工程的涌水量预测研究中,它不仅可以利用一个数值模型同时对位于不同充水层位的多个开拓工程巷道的涌水量作出准确预测,避免了专门评价不同充水层位相互之间水量交换这个非常棘手的工作,而且可以利用一个数值模型极为方便地预测出穿越多个充水层位的某些长石门等开拓工程的分段及总涌水量。

所谓地下水"拟三维"渗流模型,就是指地下水在各单层含水层中的渗透为平面二维非均质各向异性非稳定流,而多层含水层之间又通过各种类型的导水边界的沟通发生相互间的水力联系。也就是说,地下水流在各个单层含水层中的渗透速度的垂直分量为零,而沿各类型内边界的地下水越流为垂直运动。具体的数学模型可表示为:

$$\frac{\partial}{\partial x}\left(T_{rx}\frac{\partial H_r}{\partial x}\right) + \frac{\partial}{\partial y}\left(T_{ry}\frac{\partial H_r}{\partial y}\right) + \sum_{z=1}^{n}\beta(r-z)\frac{K_{zr}^{'}}{m_{zr}}(H_z - H_r) -$$

$$\sum_{k=1}^{m}Q_{rk}\delta(x - x_k, y - y_k) = S_r\frac{\partial H_r}{\partial t} \qquad (x,y) \in \Omega_r, t > 0$$

$$H_r(x,y,t)\mid_{t=0} = H_{r0}(x,y) \qquad (x,y) \in \Omega_r$$

$$H_r(x,y,t)\mid_{\Gamma_{r1}} = H_{r1}(x,y,t) \qquad t > 0$$

$$\left(T_{rx}\frac{\partial H_r}{\partial x}\cos < n,x > +\right.$$

$$\left.T_{ry}\frac{\partial H_r}{\partial y}\cos < n,y >\right)\mid_{\Gamma_{r1}} = q_r(x,y,t) \qquad t > 0$$

式中　r——充水含水层层数($r=1,2,\cdots,n$);

k——各充水含水层的源(汇)点数($k=1,2,\cdots,m$);

$H_r(x,y,t)$——第 r 含水层在点(x,y)、t 时刻的水位,m;

$H_{r0}(x,y)$——第 r 含水层在点(x,y)、初始时刻的水位,m;

$H_{r1}(x,y,t)$——第 r 含水层在一类边界 Γ_{r1} 上,在点(x,y)、t 时刻的已知水位,m;

$q_r(x,y,t)$——第 r 含水层在二类边界 Γ_{r2} 上,在点(x,y)、t 时刻的单宽流量,m^2/d;

Q_{rk}——第 r 含水层,第 k 点源(汇)项的垂向交换水量,m^3/d;

T_{rx},T_{ry}——第 r 含水层最大和最小渗透方向的导水系数,m^2/d;

S_r——第 r 层含水层的储(释)水系数;

$\beta(r-z)$——β 函数,$\beta(r-z)=\begin{cases}0 & (\mid r-z\mid\neq1)\\1 & (\mid r-z\mid=1)\end{cases}$

$\delta(x-x_k,y-y_k)$——δ 函数,$\delta(x-x_k,y-y_k)=\begin{cases}0 & (x\neq x_k,y\neq y_k)\\1 & (x=x_k,y=y_k)\end{cases}$

K_{zr}'——z、r 两含水层间弱透水层的垂向渗透系数,m/d;

m_{zr}'——z、r 两含水层间弱透水层的厚度,m;

$\cos<n,x>,\cos<n,y>$——在二类边界上,外法线方向与 X、Y 轴之间夹角的方向余弦;

Ω_r——第 r 含水层的渗透域。

　　"拟三维"数学模型的建立,展示了我国矿井涌水量预测方法的最新发展动态,它不仅能预测矿井总涌水量的大小,而且还能预测总涌水量的组成和分布特征。武强教授引用该方法在河南省焦作矿区进行实例计算时,收到很好的效果,在一定程度上解决了长期困扰大水矿区的水害防治问题。

第六章　矿井水文地质工作方法

第一节　矿井水文地质分类

矿井水文地质分类是对矿井充水条件以及矿井水文地质勘探工作经验的高度总结。对矿井进行水文地质分类,目的在于更好地指导矿井水文地质调查工作,合理选择勘探方法和正确部署勘探工作量。根据分类目的,应选定影响矿井充水条件、影响矿井水文地质工作部署的主要因素作为分类基础。但是由于我国地大、矿种多、情况复杂,加上各部门掌握的资料不同,分类出发点不尽相同,所以出现了许多不同的分类。自新中国成立以来,虽已先后提出了不少全国性或地区性的水文地质分类,但至今还没有一个被普遍认可和接受的矿井水文地质分类。

一、矿井水文地质分类回顾

为了正确评价矿井水害的严重程度,根据水文地质条件对其进行分类并用以指导矿井水防治工作是非常有必要的。回顾几十年来我国矿井水文地质分类的发展历史,各种方法在当时开采规模和勘探条件下,一定程度上对矿山安全起到了积极的指导作用,但随着煤田开采深度的加大和水文地质勘探所提供的不同性质的信息资料,一些原有的分类方法逐渐显示出不足,难以真实全面地描述矿井的主要水文地质特征,从而被后继的分类方法所代替。

(一)20 世纪 50 年代的分类方案

新中国成立初期,在苏联专家帮助下,1954 年成立了全国矿产储量委员会,对完成的矿产储量提出了严格要求:没有水文地质资料,储量不予批准;如果水文地质资料不足,就降低储量级别,水文地质工作重新补做。这项重大的措施,也促进了矿区水文地质工作的开展。1959年,地质部首先提出了"中国固体矿床水文地质分类初步方案",这个方案比较全面地考虑了自然地理、地质和水文地质条件,其中对矿床充水因素给予了很大的注意。该分类方案如表6-1所示。

表6-1 中国固体矿床水文地质分类初步方案

组	亚组	类
Ⅰ干旱地区范围内 Ⅱ非干旱地区范围内	1.侵蚀基准面以上 2.侵蚀基准以下,远离地表水体,但为静储量小的构造 3.侵蚀基准面以下,远离地表水体,但为静储量大的构造 4.侵蚀基准面以下,近地表水体	А.充水岩层以坚硬裂隙岩层为主的矿 Б.充水岩层以疏松半胶结岩层为主的矿床 В.充水岩层以岩溶化岩层为主的矿床 Г.充水岩层以坚硬裂隙、岩溶化岩层为主,并为厚的疏松含水层覆盖的矿床 Д.产于多年冻土区的矿床

(二)20世纪70年代的分类方案

1973年,燃化工业部编制的《煤田水文地质工作规范》(讨论稿)和1974年出版的国家计委地质局编制的《矿区水文地质规范》(试行)都以含水层的空隙特征作为分类的主要原则,然后再根据水文地质、工程地质条件复杂程度作为进一步分类的基础。这是目前最为普遍的一种分类原则。本书仅介绍《矿区水文地质规范》(试行)中的矿床水文地质分类。

该方案根据矿床充水含水层的空隙特征,把固体矿床划分为三大类型。

第一类:充水岩层是以孔隙岩层为主的矿床。涌水量主要取决于岩层孔隙率的大小、岩层的厚度、分布范围以及自然地理条件。

第二类:充水岩层是以裂隙岩层为主的矿床。涌水量主要取决于岩体结构、裂隙发育程度、裂隙力学性质、构造的复合情况以及裂隙发育的宽度、深度、充填情况和自然地理条件。

第三类:充水岩层是以溶洞岩层为主的矿床。涌水量主要取决于溶洞的发育情况、充填情况、地质构造以及古地理和自然地理条件。

根据水文地质、工程地质条件的复杂程度,又进一步划分为:

(1)水文地质、工程地质条件简单的矿床。矿体位于当地侵蚀基准面以上或位于地下水位以下,地形有利于自然排水;矿区内无大的含水层,矿体和顶底板含水微弱,或矿体直接顶底板有较厚而稳定的隔水层;矿床附近无地表水体或距地表水体很远;地质构造简单,构造断裂对矿床充水影响甚微,矿体顶底板均较稳定,岩体结构完整,工程地质条件良好。

(2)水文地质、工程地质条件中等的矿床。矿体位于当地侵蚀基准面以下,或位于当地侵蚀基准面以上而在地下水位以下,地形不利于自然排水;矿体附近无地表水体或距地表水体较远,地下水与地表水联系甚微;充水岩层有裂隙或溶洞,矿体或围岩含水,但补给条件较差,涌水量较小;地质构造较简单,矿体顶底板岩层较完整稳定,不具有较大静水压力。

(3)水文地质、工程地质条件复杂的矿床。矿体位于当地侵蚀基准面以下,矿区附近有地表水体,地下水与地表水有联系;矿体顶、底板直接或间接与充水岩层接触,岩层裂隙或溶洞发育,含水丰富,矿体上部有时被较厚的松散充水岩层覆盖;地质构造复杂,局部地段矿体顶、底板岩层破碎,并具有较大的静水压力,有利于地下水的聚集,矿井涌水量较大,在疏干范围内可能引起地面塌陷和其他工程地质问题。

（三）20世纪90年代的分类方案

20世纪90年代初，以武强教授为代表的新一代学者在充分研究华北地区石炭－二叠系煤田水文地质特征的基础上，提出了独树一帜的矿井水文地质分类方法（见表6-2、表6-3）。该方案侧重考虑地质结构，即不同时代的各开采煤层、多层薄层灰岩岩溶含水层、巨厚灰岩岩溶含水层、松散孔隙含水层和砂页岩裂隙含水层的各自赋存规律以及它们相互间的组合关系和水力联系方式。

表6-2　华北型煤田二叠系矿床水文地质类型划分表

项目		开采二叠系煤（Ⅰ）					
		岩溶水 (A)	孔隙水 (B)	裂隙水 (C)	岩溶－孔隙水 (D)	岩溶－裂隙水 (E)	裂隙－孔隙水 (F)
顶板充水（1）	直接充水 (a)			$ⅠC_{1a}$			$ⅠF_{1a}$
	内边界导通的间接充水 (b)		$ⅠB_{1b}$	$ⅠC_{1b}$		$ⅠE_{1b}$	
底板充水（2）	直接充水 (a)						
	内边界导通的间接充水 (b)	$ⅠA_{2b}$			$ⅠD_{2b}$		

二、河南省矿井水文地质分类

河南省北起鹤壁，南至平顶山，皆为大水矿区，尤其是焦作煤田水害程度闻名国内外。总的来说，以上所介绍的矿井水文地质分类标准虽适用范围较广，但仍难以适应河南省矿井的实际情况。

表 6-3　华北型煤田石炭系矿床水文地质类型划分表

		开采石炭系煤（Ⅱ）					
		岩溶水 （A）	孔隙水 （B）	裂隙水 （C）	岩溶－ 孔隙水 （D）	岩溶－ 裂隙水 （E）	裂隙－ 孔隙水 （F）
顶板充水（1）	直接充水（a）	ⅡA$_{1a}$		ⅡC$_{1a}$	ⅡD$_{1a}$		
	内边界导通的间接充水（b）	ⅡA$_{1b}$	ⅡB$_{1b}$	ⅡC$_{1b}$	ⅡD$_{1b}$	ⅡE$_{1b}$	
底板充水（2）	直接充水（a）	ⅡA$_{2a}$		ⅡC$_{2a}$	ⅡD$_{2a}$		ⅡF$_{2a}$
	内边界导通的间接充水（b）	ⅡA$_{2b}$			ⅡD$_{2b}$		

因此,作者根据河南省的实际情况采用相应的矿井水文地质分类方法指导矿井水防治工作,取得了较好效果(见表 6-4)。

表 6-4　河南省石炭－二叠系煤田水文地质类型划分表

	项目	岩溶水（Ⅰ）	孔隙水（Ⅱ）	裂隙水（Ⅲ）
顶板充水（1）	采掘型突水（a）	Ⅰ$_{1a}$		Ⅲ$_{1a}$
	正断层突水（b）	Ⅰ$_{1b}$	Ⅱ$_{1b}$	Ⅲ$_{1b}$
	逆断层突水（c）	Ⅰ$_{1c}$	Ⅱ$_{1c}$	Ⅲ$_{1c}$
底板充水（2）	采掘型突水（a）	Ⅰ$_{2a}$		
	正断层突水（b）	Ⅰ$_{2b}$		
	逆断层突水（c）	Ⅰ$_{2c}$		

上述分类方案强调地质构造对矿井水害的控制作用,比较符

合河南省煤田的实际情况。

三、河南省各矿床水文地质类型特征及实例分析

(一)顶板充水型

1.顶板岩溶水因采掘而引发的突水[I $_{1a}$]

石炭系一煤层直接顶板为薄层石灰岩,巷道直接揭露该含水层时引发矿井直接充水。但采掘型突水机理简单,静储量有限,河南省煤矿普遍采用掘进疏放,效果很好,一般无灾害性突水。

2.顶板裂隙水因采掘而引发的突水[Ⅲ$_{1a}$]

煤层直接顶板为砂岩含水层,裂隙不发育,富水性差,其矿井涌水量较小,水文地质条件简单,对矿井安全生产威胁不大,但使井下劳动条件恶化。

河南省华北型煤田开采二叠系煤层的矿井多属此类。砂岩裂隙含水层在焦作矿区最大涌水量也不超过 $100 \ m^3/h$。

3.顶板岩溶水因正断层而引发的突水[I $_{1b}$]

石炭系煤层与其顶板的岩溶含水层之间夹有一碎屑岩层。由于断裂构造的导通,使薄层灰岩岩溶水充入井巷,影响了矿井的安全生产。

4.顶板孔隙水因正断层而引发的突水[Ⅱ$_{1b}$]

煤系之上覆盖有第四系流砂冲积层或含水砂砾岩。由于破坏了隔水煤柱或因巷道揭露被沟通或受断层破坏等因素的影响,水、砂可大量溃入井下。

河南省矿井此类突水发生较少,但小型地方煤矿在开采浅部煤层时特别在地表水体下时有发生。

5.顶板裂隙水因正断层引发的突水[Ⅲ$_{1b}$]

突水特征同[Ⅲ$_{1a}$]。

6.由逆断层引发的顶板突水[I $_{1c}$]、[Ⅱ$_{1c}$]、[Ⅲ$_{1c}$]

该类突水主要注意对断层带的保护,一般不会发生灾难性事

故。如郑州矿区大平煤矿逆冲断裂切割煤层顶板数层含水层,至今尚未发生过大的矿井水害。

(二)底板充水型

1.底板岩溶水因采掘引发的突水[I_{2a}]

充水特征同[I_{1a}]。

2.底板岩溶水因正断层引发的突水[I_{2b}]

该类型在浅部开采时,煤层下伏的隔水底板对低水头承压水有一定的抵抗能力。但随着开采水平的延深,隔水底板的强度不足以抵抗高承压水头,特别是在断裂或岩溶陷落柱等薄弱地带,高水头承压水突破隔水底板,造成突水淹井事故。因其突水水源往往不止某一岩溶含水层,一般石炭系的各薄层灰岩和中奥陶统巨厚灰岩含水层都有可能介入,所以突水水量较大,破坏性强,充水条件复杂。

焦作演马庄矿南部二一轨道 F_5 断层因沟通石炭系的第8层和第2层薄层灰岩以及中奥陶统巨厚灰岩层,在同一突水点,前后共发生3次重大淹井事故。1979年8月,突水量为 240 m^3/min;1985年5月,突水量达 320 m^3/min;1985年12月,在复矿排水工作中,因高承压水冲破了以前的注浆工程,又发生了一次特大型的突水淹井事故,因其来势迅猛,未能测出具体突水量的大小。

3.底板岩溶水因逆断层引发的突水[I_{2c}]

此类充水特征同[I_{1c}]。如鹤壁矿区遇此类断层时,井巷都能顺利通过。

第二节　矿井水文地质调查

矿井水文地质调查是矿井地质调查的一个重要组成部分,它直接关系到矿产的合理开发与安全开采。因此,在矿产资源调查的各个阶段都应同时安排相应的水文地质调查,及时提供矿产资源各调查阶段所需的水文地质资料。

一、矿井水文地质调查的目的

矿井水文地质调查的目的如下：

(1)阐明矿区内含水层的分布、岩石成分、产状、厚度、地下水水位(水压)、水质、涌水量等,以及地下水的补给和排泄条件。

(2)阐明地表水与地下水之间以及含水层之间的水力联系。

(3)预测未来矿井的可能涌水量,并提出防止地下水的意见。

(4)对坑道和露天采矿场岩层的稳定性作出一般的工程地质条件评价。

(5)对供水水源作出一般评价。

矿区水文地质工作调查的内容与其他项目的水文地质工作内容大致是相同的,只是表现在解决问题的目的上不同。在野外工作开始前,应收集有关资料或进行路线踏勘,根据任务编制矿区水文地质设计书,作为地质设计书的一部分。野外工作包括区域和矿区水文地质测量,根据水文地质测量中所获得的资料和初步结论,进一步进行水文地质勘探和水文地质试验工作(包括野外试验和室内试验),并进行地下水动态长期观测。野外工作结束后,编写水文地质报告书。除特殊情况外,一般均将其列为地质报告书的一章。

二、矿井水文地质调查内容

(一)地质点调查

地质结构是地下水的储存与运动场所,地质条件是决定某地区地下水分布与形成的基础。因此,水文地质测绘中必须重视对地质条件的研究,除了满足地质测绘对地质研究的一般要求外,还应满足水文地质方面的一些特殊要求。尤其对岩石空隙(孔隙、裂隙、溶隙)的发育规律及含水层、褶皱构造、断裂的储水和导水条件进行详细的调查研究。这样,再结合井、泉、钻孔、岩溶水点的调查与试验,就可以确定地区含水层的埋藏分布规律及其富水情况。

为了查明地下水的埋藏条件与分布规律,在平原地区,要加强对地貌、第四纪地质与新构造运动的研究,要查明第四系松散沉积物的分布范围、地貌部位、成因类型、成分结构、厚度及其相变情况;在河谷平原地区,要重点调查研究河谷阶地分布范围、阶地性质(侵蚀、堆积、基座)、阶地级数、阶地地层结构、岩性成分、厚度及其相变情况;在山前平原地区,要着重调查冲(洪)积扇的分布范围,从扇顶到扇缘不同部位的岩性、厚度、埋深情况。在冲积平原地区,可能分布有不同河流交互堆积、内陆湖泊堆积以及由河道变迁形成的古河道堆积,某些地区还有海相堆积和冰水堆积等,一般第四纪堆积物厚度较大,含水层层次多、颗粒细、水质复杂。因此,应着重研究以下问题:

(1)不同河流堆积物的特点及其分布。

(2)古湖泊堆积物的埋深及其分布。

(3)古河道的分布、埋深及岩性结构特征等。

在基岩广泛分布的丘陵山区,应仔细调查区域裂隙的成因(风化、成岩、构造)、力学性质(张性、扭性、压性)、发育程度和充填程度以及与不同岩性、地貌构造部位的关系。尤其在下列部位应予以重点调查。

(1)褶皱轴部和地层产状剧变的挠曲部位。

(2)断裂构造两侧。

(3)软硬相间的地层中的硬脆岩层。

(4)薄层玄武岩和流动构造发育的流纹岩中的成岩裂隙。

对于可溶岩分布的山区,要调查研究各种溶隙的形态、规模、分布位置,并调查研究各类碳酸盐地层的岩性、构造、埋深以及地壳升降运动、气候、地貌条件与岩溶发育规律的关系、地表水文网与岩溶水的关系。

区域构造对基岩山区地下水的分布与形成具有主导意义。因此,应详细调查区内主要的褶皱型式和构造断裂。要调查褶皱构造的形态类型、规模、地层组合关系以及破碎程度和地貌汇水条件。尤其要重点调查以下几方面。

(1)有利于地下水补给和储存的背斜谷、向斜谷和地堑式背斜等的地下水补给、排泄和储存条件。

(2)规模较大的宽缓向斜盆地形成自流水的可能性和槽线部位的富水性。

(3)复向斜中的次级背斜轴部的张性断裂带发育程度及其富水性。

(4)褶皱两翼地层由陡变缓处、褶皱倾没端、地层转折部位、弧形构造的拐弯突出部位以及硬脆岩层的近尖灭端等处的裂隙发育程度、汇水条件与富水性。

(5)大型帚状构造的旋回层由褶皱带组成时,应注意褶皱带散开部位和旋涡部位形成承压含水层的可能性。

(6)"山"字型构造的马蹄形盾地如由轻微褶皱的沉积岩组成,则应注意形成自流盆地的可能。

(7)有利于形成自流斜地的单斜构造中地层的倾角、分布规模、厚度、地层组合情况和岩层产状与地形坡向的关系等。

断裂活动在水文地质中具有特别重要的作用。一个大断裂常常使其两侧的地层、岩性、构造、地貌都有很大的差异,往往成为不同水文地质单元的分界线,或成为同一单元补给、径流、排泄区的分区边界。因此,在野外必须详细调查断裂的力学性质、分布规模、两盘岩性、断裂带破碎充填特征及其两侧影响带岩石破碎情况,注意用地质力学方法对断裂带的富水性进行调查研究。尤其在下列地段,应进行重点调查研究。

(1)各种构造体系的张性和张扭性断裂、二次纵张断裂;对压性、压扭性断裂,注意研究断裂带上盘硬脆岩层及可溶性岩层分布地段顺断裂带的富水性及断裂带本身的阻水性。

(2)各种构造体系的复合和构造形迹的交汇部位,如重接和斜接部位、棋盘格式构造共轭扭裂面的交叉部位、"入"字型构造主支断裂交接处、褶皱轴部张性及压性断裂的交汇处等。

(3)扭性大断裂旁侧的张性羽状分支断裂和帚状构造的收敛部位。

(4)压扭性帚状构造,应注意弧形断裂旁侧的张性断裂及二者的交接处;张扭性帚状构造,应注意张扭性断裂及其旁侧的张性分支断裂。

研究侵入岩时,从水文地质角度出发,应查明侵入体的产状、分布范围及接触带蚀变、破碎情况。因为侵入岩都为微裂隙岩石,当其顺层侵入时(岩床),可构成相对隔水层。规模巨大的岩基、岩株往往成为区域地下水径流的天然屏障,构成区域地下水的分水岭。岩脉能起到地下水堤坝阻流的作用。侵入岩侵入地层时,迫使围岩变质和破碎,尤其当围岩为脆硬坚岩或可溶性灰岩时,接触带围岩往往裂隙、岩溶发育,成为地下水的强径流带。因此,对侵入岩地区测绘时,需要布置一定工作量沿接触带追索,研究围岩接触带的类型、宽度、蚀变、裂隙岩溶发育程度和富水性。出露地表的大型岩体,往往占据较高的地形位置,当其裂隙发育时,可含裂隙水或孔隙-裂隙水,成为周围含水层的补给区。因此,对出露地表的大型岩体还需要研究风化裂隙带形状、厚度及影响因素,尤其是半风化带的厚度和分布规律,以便确定岩体的含水深度与富水情况。

喷发岩一般成岩裂隙较发育,富水,而且常呈层状分布,尤其是玄武岩的柱状裂隙极为发育。因此,水文地质测绘时应查明喷发类型、喷发岩分布范围、裂隙气孔发育情况。多期喷发地区,应注意调查各次喷发熔岩流之间接触带的性质、分布及其富水性,注意研究凝灰质岩层的隔水性及裂隙性熔岩的富水性。

变质岩类分布地区应注意对大理岩、硅质白云岩、硅质页岩、片麻岩的调查。对于薄层状大理岩夹层,应仔细调查其岩性、厚度、产状、稳定性和溶隙发育程度对富水性的影响;厚层状大理岩则要调查其与不同岩性接触带的溶隙水,特别是粗粒大理岩、角闪大理岩和表部风化成层状的大理岩,要注意下部岩溶发育程度与地下水的关系。在片麻岩地区,应调查风化带的厚度、富水性及其与地貌的关系等。

(二)水文点调查

1.泉的调查

泉的调查应包括下列几方面内容:泉的出露位置、标高,泉附近的地形,泉的成因类型,含水层的情况,泉水的物理性质,涌水量、动态、装备及利用情况等。

泉的出露位置可用定地质点的方法加以确定。编号后标在图上。标高可用气压计或地形等高线确定。大比例尺填图时,泉的位置应该用仪器(经纬仪、平板仪)确定。若当地有河流,则要测出泉和河水位的相对高差,以说明泉的出露和当地侵蚀基准面的关系。

泉的类型主要通过仔细观测泉水的涌水情况及其出露条件而定。要认真观测泉水是呈集中水股还是呈渗水流出,上涌还是下流,有否有气泡逸出,泉水出口处的岩性是什么,是从裂隙还是从溶隙中流出等现象。有时,为了查明泉的出露条件,有必要清理泉口的表土,揭露补给泉的含水层的含水性质,并且必须结合地质观察一起分析,并作素描图。

泉水的物理性质一般在野外通过直接感觉初步测定,水温用水温计予以测定。

泉流量根据具体条件,选用适宜的方法进行测定。流量较小的泉(<1 L/s)多用容积法测定;而流量较大的泉使用堰测法测定。当泉的流量为$1\sim2$ L/s时,使用三角堰法最为适宜(图6-1)。

用它测定流量时按下式计算：

$$Q = 0.014 \, h^2 \sqrt{h} \qquad (6\text{-}1)$$

式中 h——堰口的水层厚度，cm，它应在堰口上游大于等于 3 h 处测定。

当流量较大时，可用梯形堰法（见图 6-2），其流量公式为：

$$Q = 0.018 \, 6Bh \sqrt{h} \qquad (6\text{-}2)$$

B——堰口底边宽度，cm；

h——堰口的水层厚度，cm。

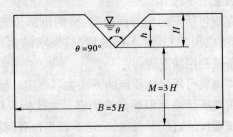

图 6-1　三角堰断面图

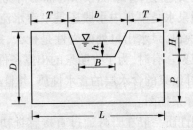

图 6-2　梯形堰断面图

当泉的流量极大时，可使用流速仪或浮标法测定流量。前者比较精确，但在普查中不易做到；后者简便，但其误差较大。应用浮标法测定流量时，应选择水流集中、水流坡降小、流速稳定、水槽

平直的地段。测定时,将浮标放在水流中心的水面上,准确记录流经距离 L 所需时间 t,用下式计算流量 Q:

$$Q = K \frac{F_1 + F_2}{2} \frac{L}{t} \tag{6-3}$$

式中　F_1、F_2——测区上、下游水流横断面面积,m^2;

　　　　L——浮标流经距离,m;

　　　　t——流经距离 L 所需的时间,s;

　　　　K——系数,决定于水槽断面性质,一般为 $0.6 \sim 0.8$。

　　泉的动态与用途一般通过访问获得,了解泉流量在一年中的变化情况、最大值和最小值以及各自出现的时间、与降水的关系等。为研究泉水的化学成分和气体成分,应在泉口处取样。简分析一般取水样 0.5 L,详分析一般取水样 $2 \sim 2.5$ L。水样瓶要洁净,不能漏水;瓶口处保留 $5 \sim 10$ mL 空隙,瓶外贴上标签。取样后,应马上送实验室分析,一般最多不超过两星期。

　　2. 井(钻孔)的调查

　　调查内容有井的位置、井口标高、井深、水深、水位、井地质剖面、井水化学成分与物理性质、井口直径、井底直径、井型、井的漏水量与地下水水位、水量变化情况以及井的结构及使用情况。其中许多内容与泉的调查相似,不再赘述。

　　关于井的剖面,可向当地居民了解。同时,还应与附近其他剖面资料如钻孔、天然露头相对比,以修正访问资料。井的涌水量也可通过访问大致了解。如访问井每天可供多少人饮用或可灌多少田,用水后水位下降情况,水位恢复情况如何等。较精确的涌水量值可通过抽水试验求得。选择民井抽水,应注意下列问题:井最好是新井,井上有提水设备(水泵或水车),井剖面了解,周围附近有井可供观测,在水文地质条件上具有一定的代表性意义等。抽水试验可采用稳定流方法或定流量非稳定流方法进行。

3.岩溶水点(岩溶泉、落水洞、地下河出口、天窗、潭等)的调查

调查的内容如下：

(1)水点所在地层的层位及岩性。

(2)水点所处的构造部位、岩层产状、结构面的产状及其力学性质、地质构造与岩溶发育关系。

(3)水点所处地貌单元的位置及地貌特征。

(4)水点的地面标高。

(5)水位标高、埋深及其水位变化。

(6)观测水的物理性质(色、嗅、味、温度、浑浊度等)，并记录气温、洞温和取水样分析。

(7)溶洞内水流的流向及流量,洞内瀑布的成因和落差,访问流量动态变化情况。

(8)地下湖或地下河的规模大小、平面位置、流经地段。

(9)水生生物的活动情况。

(10)有意义的水点应实测水文地质剖面图或洞穴水文地质图并素描或照相。

(11)力求弄清岩溶水点与邻近水点和整个岩溶地下水系的关系,必要时追索地下水的"来龙去脉"或进行连通试验。

4.矿井水文地质调查

调查内容如下：

(1)矿井名称、所处的行政位置。

(2)开采情况——开采方式、开采方法、生产能力、井型、开采深度及标高、不同水平的开采面积、排水设备及其能力。

(3)矿井所揭露的含水层情况——岩性、厚度埋深、裂隙岩发育情况、水头压力、坑壁出水情况、排水量及其与开采、降水之间的关系。

(4)矿井水的补给源及降落漏斗的发展情况。

(5)矿井顶板坍落裂隙发展情况,底板稳定、露天矿边坡稳定

以及地面坍陷下沉情况。

(6)矿区供水情况。

(7)突水淹井情况——突水地点、突水量及其突水原因。

5. 老窑的水文地质调查

调查内容如下：

(1)老窑的分布范围及其深度。

(2)老窑的坍陷和积水情况。

(3)老窑出现的主要层位，与其他地段连通的情况。

(4)老窑水的补给来源、排泄条件及其动态变化规律。

(5)老窑水的物理性质与化学成分。

(6)老窑突水事故情况。

上述各种地下水露头的调查内容常印成各种表格形式，可在野外直接填写。

6. 地表水体的调查

地表水体的调查内容有：

(1)河流、湖泊、池塘、渠道等地表水体的位置及周围的地形特征。

(2)观测地表水体的形态，包括河流的宽度、长度和深度以及湖泊的面积、积水深度。

(3)地表水体附近的地层岩性、地貌条件及其所处的构造部位。

(4)测定地表水体的水位、流量、流速、含砂量等。

(5)观察水的物理性质(水温、色、嗅、味、浑浊度)，必要时取水样进行化学分析。

(6)调查访问动态资料，了解水量、水位、水温一年四季的变化情况。

(7)测量和收集河流上下游间流量的变化、支流的水量、河床沿途的变化情况，特别要重视枯水期地表河流流量的测定。

(8)地表水的利用情况。

三、矿井水文地质工作方法

矿井水文地质调查结果一般将作为矿产设计与开采的依据。因此,在水文地质勘探研究的基础上,需要进行下列专门工作:

(1)在勘探区要编制 1:5 000～1:10 000 矿区水文地质图。

(2)除继续在矿井生产过程中收集水文地质资料外,应挖掘试坑和进行水文地质钻探。试坑多布置在第四纪松散岩层且水位较浅的地方。钻孔多利用地质勘探钻孔。当地质勘探钻孔不合乎要求时,应根据水文地质上的需要来布置,布置的位置一般可选择在靠近地表水体、构造破碎带、裂隙和岩溶发育地段、向斜轴部、地形较低的含矿地段及将来布置生产矿井的地方等。

(3)选择有代表性的试坑和钻孔进行水文地质试验。

(4)在勘探和生产坑道中进行水文地质观测。

(5)矿区内如有河流,要进行河流水位和流量观测。

(6)在勘探工程中采取水样和岩样,进行实验室鉴定和分析。

(7)选择有代表性的含水层进行长期观测。

矿区内的地质构造对矿井的充水影响很大,常常会造成矿井毁灭性的淹没。其工作方法是通过地质调查和勘探,查明矿区是向斜构造还是背斜构造或单斜构造,并了解断层的分布、性质、断距及破碎程度等。根据勘探工程(主要是勘探钻孔)的简易水文地质观测和生产矿井的涌水资料,阐明断层破碎带是否是地下水的通道,并选择典型地段,进行水文地质试验。如果断层性质相同,水文地质条件相似,则只在 1～2 个钻孔中进行抽水试验。矿区面积大、断层多或断层的充水性质不同时,抽水试验钻孔可适当增加。抽水试验应分段进行,亦即在破碎带和破碎带上下的含水层中进行。但此时也要考虑到矿体的层位与断层接触的关系。如河南焦作煤田矿井曾发生过多次大量涌水事故,矿井突然涌水资料说明,涌水地段均与断层有关(见图 6-3、图 6-4)。因此,水文地质钻孔要布置在断层带上,并进行抽水试验。

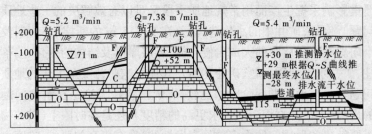

图 6-3 焦作煤田李封矿各突水点位置剖面示意图

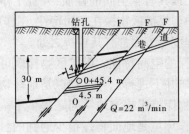

图 6-4 焦作煤田西万斜井突水点位置剖面示意图

第三节 矿井水文地质物探

地质构造、煤层厚度、隔水层厚度以及陷落柱一直是影响矿井突水的重要地质因素。如何有效地探测矿井构造、煤层残厚及陷落柱,既是应用地球物理学所面临的一个问题,也是勘探地球物理学的一个很有发展前途的分支。

一、煤矿区物探特点与技术方法

(一)煤矿区物探特点

煤矿区物探与煤田地质勘探过程中的物探技术方法有显著的差别。这主要是由煤矿区生产所要解决的地质问题的性质以及勘探地球物理条件所决定的。在煤矿区,物探技术要解决的问题是严重影响采掘生产而用常规地质手段又难以有效解决的一些地质问题。例如,矿井中的小构造(落差在 $2\sim15$ m 的断层、小背斜及小向斜等)、煤层中的火成岩侵入体、煤层厚度及结构的变化、陷落柱、矿井水文地质问题、矿井瓦斯及其他影响矿井安全生产的地质问题等。与地质勘探阶段相比较,煤矿区物探无论是在解决问题的尺度上(矿井物探一般要求更高的精度),还是在时限上(矿井物探要解决的地质问题大多数是突发性的)都有更高的要求,难度也更大。井下勘探工程具有全空间的性质,并且工作空间只能够局限于窄小的巷道中。煤矿区物探在空间特性、工作对象、工作时限性以及地质研究程度等方面都有其独特之处。

(1)煤矿区物探的空间特性。煤矿区物探既可以在空中及地面开展,也可以在矿井下进行。井下物探是地球物理勘探的一个独特分支,矿井为物探技术探测地质问题提供了一个新的有效的工作空间,但其工作环境是地面物探很少遇到的。与地面物探相比,一方面,井下物探的工作环境比较恶劣,井下电器、煤尘与粉尘、矿井顶板漏水对仪器正常观测有影响;另一方面,井下物探的工作空间比较窄小,物探工作常常是在宽不超过 3 m、高在 2 m 以下的巷道中进行。工作环境决定了煤矿井下物探一方面受周围外部因素的影响较大,因而克服环境干扰影响是井下物探的一个重要课题;另一方面,一些地面工作证明有效的物探方法很难直接照搬到煤矿井下,这是井下物探的全空间性质决定的。

(2)煤矿区物探的工作对象。煤矿区物探的工作对象是影响煤矿正常生产及安全生产的一切地质问题。从矿区物探的探测尺度来看,小尺度、高精度是煤矿区物探的主要特点。大的地质问题、大的构造,一般在勘探阶段或建井前的补充勘探工作中已查明。矿区物探的目标,是那些在勘探阶段未能解决而对生产影响较大的一些地质问题。这些地质问题一般规模较小,而矿井生产过程又要求对它们有很高的探测精度。因此,矿井物探是一种高精度的地球物理勘探。

(3)煤矿区物探的工作时限性。煤矿区物探,一方面具有解决影响矿井正常生产及矿井安全生产地质问题和预测及预报问题的功能;另一方面还有一个重要的任务,即及时查明生产过程中已经遇到的地质问题(例如机采工作面中落差大于采高的断层的走向延伸等)。确保矿井生产尽快恢复正常。很明显,要及时有效地解决生产中遇到的一些紧迫地质问题,井下物探只能够采用那些成熟、简捷的物探技术方法。

(4)煤矿区地质研究程度。煤矿区大都经历了普查、地质勘探、建井前勘探地质工作阶段,已有许多的地质工作积累,地质研究程度很高,许多大的地质规律已为人们所掌握。煤矿区物探必须建立在已有地质工作的基础上,并解决一些新的问题,形成新的认识。煤矿区要求地质研究程度高,一方面是对矿井物探的挑战;另一方面也给矿井物探提供了机会,丰富的地质资料可能是解决物探方法多解性的重要保证。

(二)煤矿区物探的主要技术方法

从技术方法上看,几乎所有的常规物探方法都可以用到矿区物探工作中。以探测电磁特性差异为目的的电磁探测方法(如直流电法、电磁波坑透等),可以用于研究地质条件变化所引起的电磁特性差异,从而确定地质构造的存在与规模;研究地质体密度变化的地震勘探技术及重力勘探技术,可以用来探测密度界面及地质条件变化所引起的某种密度差异,从而确定地质体以及地质界面的性质与产状;磁法勘探技术可以用来圈定与围岩存在磁性差异的地质体以及各种地质界线;一些用于测定放射性异常及温度异常的物探方法,也可用来分析由于地质条件变化所引起的放射性异常及温度异常变化。

二、煤矿区物探工作模式

客观事物的发生、发展过程都有一定的规律,并按照某种特定的模式不断地重复。有效的煤矿区物探工作也有一定的规律可循。煤矿区物探实际上是一项系统工程,模式化是其技术进步的必然结果。虽然随着科学技术的不断进步,煤矿区物探工作模式一直在不断地修改完善,但在一定阶段内,这种模式具有一定的稳定性与实践指导意义。煤矿区物探工作模式化研究,是改善及提高煤矿区物探工作效果及效益的正确途径之一。目前,煤矿区物探的研究工作,基本上还停留在如何将常规物探方法引入矿井下的阶段,而在从整体上研究煤矿区物探特点、工作模式方面的工作则开展得很少。煤矿区物探是一个复杂的系统工程,建立一个完整统一的模式,是一项较长期的艰巨的任务。这里主要介绍几个常用模式,即立体探测模式、多方法综合探测模式、中长期预报与短期探测相结合模式、高精度高分辨率探测模式、地质物探一体化模式。

(一)立体探测模式

立体探测模式采用航空物探、地面物探及井下物探相结合的方式,研究目标地质体。煤矿区物探所探测的目标地质体,虽然一般尺度都较小,但还是存在级别之分。由于受空间条件的限制,井下物探不可能有效地探测大的地质构造;同样,依赖航空物探及地面物探也无法把一些小的地质体查明。各种物探方法只能查明一定范围内的地质体,而立体探测则是一种粗细结合、效果较好的探测模式。

(二)多方法综合探测模式

众所周知,一方面各种物探方法所基于的物理前提是有差异的,也就是说,各种物探手段所获取的地质体信息是不尽相同的;另一方面,每一种物探方法都存在多解性的问题。对于一个未知的地质体或地质现象,我们掌握它各方面的信息越多,对地质体的了解也就越清楚。多种物探方法综合探测模式,是解决物探多解性问题的一个有效途径。

(三)中长期预报与短期探测相结合模式

煤矿区物探工作是一个连续过程。从中长期看,矿井物探工作的任务是要查明采区及工作面中的主要构造及规模;从短期看,矿井物探工作一个重要任务就是要及时查明生产过程中遇到的地质问题与地质现象。

(四)高精度高分辨率探测模式

从上面的分析我们已经知道,煤矿区物探所要解决的地质问题尺度一般较小,而生产过程又要求对地质体及地质现象的查明程度较高。这一矛盾决定了煤矿区物探工作必须选择高精度高分辨率探测这样一个模式。

(五)地质物探一体化模式

煤矿区物探一个鲜明特点是,煤矿区地质研究程度很高,已经有大量的地质工作积累,各种大的地质规律已经为人们所掌握。煤矿区物探工作的成败,在很大程度上取决于对已有地质工作成果的消化与掌握程度。物探资料的解释分析,应当建立在已认识的地质规律的基础上。传统的物探资料解释模式必须改进,应当更强调地质分析综合。从某种意义上可以说,矿区地质体探测问题从根本上不是物探问题,而是地质问题,物探手段只起到验证与外围延伸作用。例如,用磁法圈定岩体,如果能够用地质分析方法确定岩体的产状类型,定量反演时,就没有必要玩复杂的数学演算,而直接选简单的数学模型往往就能够得到最接近实际的解释结果。

三、应用实例

(一)测井法探测含水层

岩体的物理性质、水理性质是评价岩体含水性和对其进行科学分类的重要指标。由于目前水文地质采样和试验方法的局限性,如何全面正确评价含水层(软弱岩体)的水文地质特性是煤田地质勘探中一个长期未能解决的问题。多年以来,多以采取岩心试样、用室内试验的方法测定其各项指标值,通过各种数值修正后再用以评价岩体的水理性质。由于含水层结构复杂,埋藏隐蔽,专门水文地质采样孔和采样量相对较少,因而很难了解岩体的含水性在三维空间所固有的连续全面的变化规律。作者通过登封煤田郜城井田地质勘探的实践,尝试用地球物理测井资料来解释岩体含水性,并从物性和含水性以及不同含水性参数间的定性关系和实际的相关关系出发进行探讨,收到很好的效果。

1. 岩体物性与水理性质的关系

大量资料表明,岩体的物性与水理性质有着紧密的内在联系。这是我们进行物性力学测井的理论基础。具体表现为:①岩石含水性与含水率呈正相关;②岩石含水性与孔隙率呈正相关;③岩石含水性与容重呈负相关;④岩石含水性与饱和容重呈负相关。

大量实例计算表明,岩体水理性质与各种物性之间的相关系数远大于置信度 $\alpha = 0.05$ 的临界值,其间存在着密切的相关关系。因此,可以用物性来反映岩体的水理性质。

2. 岩石水理性质的测井解释

目前,工程勘探常规测井参数(通常包括密度、电阻率、声波、天然伽马、自然电位、井径及中子)都能从各个侧面反映岩体的物性。因此,通过岩体物性这个中间桥梁,各种测井参数与岩体水理性质也均有一定的关系。

1)视电阻率测井

影响岩体电阻率的主要因素有三个。一是岩石的成分与结构。大多数岩石可视为由均匀相连的胶结物和不同形状的矿物颗粒组成,岩石的电阻率将决定于这些胶结物和矿物颗粒的形状及相对含量。胶结好,孔隙率小,致密,则电阻率高。如石灰岩电阻率相对就高。二是岩石的裂隙率(含水量)。一般裂隙率(含水量)越大,则岩石电阻率越小;反之,则电阻率大。三是岩石的温度。一般随着温度的下降,含水岩石的电阻率显著增大。

郜城井田二$_1$煤层顶板岩石破碎,物理性质变化较大,视电阻率也产生相应的变化。曲线幅值明显下降,形态多变,时而出现大小不等锯齿状、波纹状或犬牙状。就总体而言,岩石视电阻率与岩石含水性也具有一定的负相关关系,即视电阻率高则岩石裂隙率低、含水少、结构致密,因而含水性降低。

2)人工伽马测井

理论与实践证明,当所使用的伽马源的能量在一定范围时,散射伽马强度与岩体的密度密切相关。而决定岩体密度的主要因素,一是岩石的矿物成分,二是岩体的裂隙率及裂隙中的含水量。裂隙体积越大,含水越多,岩体密度越小,则人工伽马曲线幅值越高。

3)天然伽马测井

一般沉积岩的自然放射性随黏土含量的增加而增加,随颜色变浅而减少。同时,岩石的孔隙率不同,自然放射性也各异。在郜城井田由于岩石破碎,导致原岩密度的降低及其他因素的变化,使自然伽马与人工伽马幅值明显增高,形态多变。

综上所述,一般岩体的含水性有与视电阻率呈负相关,与人工伽马、天然伽马呈正相关的密切关系。据此内在关系来研究郜城井田二$_1$煤层顶板破碎带岩石的含水性是非常有意义的。

3.成果验证

为了说明基础资料的可靠性,河南煤田地质一队在郜城井田12007孔400~450 m构造岩(二$_1$煤层顶板)含水层层位进行了测井试验。结果显示,岩层含水性与视电阻率、天然伽马曲线、人工伽马曲线在形态上具有较好的相关性,依此计算获得的测井参数可作为判别其他地区、其他层位含水层的水文地质指标的依据(见图6-5)。

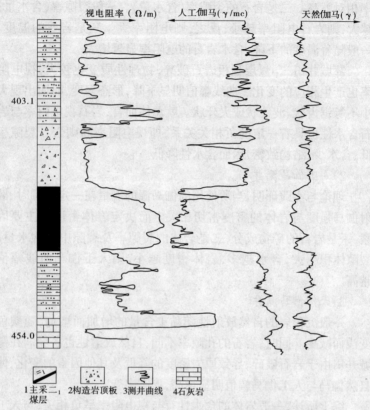

图 6-5　12007 孔二₁ 煤层顶板测井曲线与水理性质对照图

(二)弹性波地震探测

弹性介质因局部受力而产生的形变和转动像声波一样随时间向远方传播,这些在弹性介质中传播的形变和转动就是弹性波。在介质体内传播的波叫体波,按振动状态又分为纵波和横波。集中在界面附近并在一定范围内传播的叫面波,面波按极化方向又分为瑞利波和拉夫波。另外,其能量主要集中在煤层中传播的波叫槽波。

弹性波在介质中传播遵循波动方程。当初始条件(如震源和初始位移)、边界条件(如边界和界面)已知时,给定不同弹性介质参数,各种弹性波的解即可求得。依此所做各种地震数学模型,称正演。在地震勘探实践中,震源产生的弹性波(即输入)通过地层介质("黑盒子")的作用和传播,被仪器所接收并记录下来(即输出),当输入和输出已知时,即可推断"黑盒子"的内容,该过程叫反演。地震探测的目的就是通过激发接收弹性波来推断"黑盒子"内容、分析解释地质体构造性质,从而查出地质异常或有用矿床。根据激发、接收弹性波的类型、震源和接收点的几何位置,探测地质异常可要用纵波法、横波法、面波法(瑞利波法)或槽波法,既可在地面、矿井下或钻孔中进行,也可多波型、多方位联合进行。

煤矿在建井、掘进和开采过程中常常可能遇到地质异常引起的生产中断或灾害。因此,针对上述三个阶段,煤科院西安分院研究开发了三种波型的弹性波地震探测技术,即地面高分辨率地震(纵波地震)、瑞利波地震和槽波地震。

1.掘进头瑞利波地震法

1)原理

瑞利波地震法主要用于巷道掘进面或采煤工作面的水文地质问题探测。瑞利波地震探测方法是基于不同振动频率的瑞利波无深度方向衰减的差异,通过测量不同频率成分(反映不同深度)瑞利波的传播速度来探测不同深度煤层及围岩内的断层、空洞、老窑、岩溶等地质异常体的。它的物理学依据是基于煤层和顶底板围岩及其他地质异常体的密度和杨氏模量等物理参数的不同而导致瑞利波传播速度的差别。相位差 φ 可通过下式求取:

$$\varphi = 2\pi fr / V_R$$

当激振频率 f 已知时,便可求得瑞利波速度:

$$V_R = 2\pi fr / \varphi$$

因速度 V_R 的变化反映了岩性的改变,根据公式 $V_R = fL_R$,在计算出速度后,即可求得瑞利波的波长 $L_R = V_R / f$。根据波长

L_R,即可确定岩性变化的深度,从而求得地层或地质异常的位置。

瑞利波探测方法有两种。一是稳态激励法,即每次向地下激发单频率稳态正弦波,靠手动改变频率逐次测试;另一是瞬态激励法,利用锤击或小炸药量激发频谱宽的脉冲波,利用在工作面布置的两个接收检波器一次接收瑞利波信号,然后再作频谱分析,计算不同频率成分的波速和波长,从而得出地质体的埋深和产状。

由于稳态法仪器结构复杂、笨重、不易防爆,所以煤科院西安分院在20世纪90年代初研制了一种轻便、防爆、频带宽、动态大的瞬态法瑞利波探测仪,通过在肥城、焦作等矿务局几个煤矿的掘进巷道探测试验,取得了较满意的效果。

2)应用

在焦作矿务局某矿西副巷掘进过程中,据地质资料估计前方有两个导水断层 F_1 和 F_2,因具体位置不清而停工待查。同时,前方由于有一层硬质岩层影响钻进而放弃钻探探查。于是利用瑞利波物探法向前探测,在独头向前布置两个测点:一点布置在粉砂岩上向前方探测,在7 m和21 m两处获得明显界面;另一点布置在灰岩上向前方探测,在8 m和9 m处有明显界面,所测两个界面推断为两条小断层。后经掘进证实,F_1 和 F_2 断层位置在前方分别为8 m和20 m处。瑞利法地震探测技术的应用,解决了煤矿预测掘进前方地质异常的难题,为煤矿的建设与生产提供了有力的手段。

2. 工作面槽波地震法

1)原理

槽波是在煤层中激发,通过同一煤层传播、衰减或反射,并在同一煤层中被接收的地震波。由于煤的密度和传播波的速度基本上小于围岩的一半,因而煤层内震源激发的弹性波能量大部分集中在煤层内传播,并遵守惠更斯原理、费马原理、斯奈尔定律和视速度定理。因此,槽波可用来探测煤层的不连续性,如小断层、陷落柱、冲蚀带、火成岩侵入等,为综采提供可靠的地质保证。

槽波实际上是煤层和顶底板中纵波和横波的合成波。根据极化方向,槽波可分为"拉夫型槽波"和"瑞利型槽波"。由于拉夫型槽波比瑞利型槽波容易形成,故在实际中主要运用拉夫型槽波。由于槽波的频散作用,其波速随频率而变化,波列随传播距离加大而拉长,致使它的到达时间很难精确确定,也很难把它从噪声中检拾出来。为此,科研人员研究了提取埃里相位的办法。因为埃里相位处的槽波不仅频率高,而且能量强、衰减小,通过求取埃里相位频率和速度,就容易利用槽波研究煤层中的地质异常。

槽波地震根据其震源和接收点在工作面布置的相对位置不同分为透射法和反射法。当震源和接收点布置在工作面同一侧进行探测时,称为反射法;当震源和接收点不在工作面同一侧,而接收透射波时,称为透射法。当工作面内煤层连续性较好、构造简单时,一般仅用透射法;当构造复杂时,既用透射法也用反射法。

槽波地震法技术的关键是要有高性能的数字记录仪器和数据处理软件以及高质量的现场数据采集。1986 年煤科院西安分院从德国引进一套 SEAMEX—85 防爆槽波数字地震仪和相应的槽波数据处理软件。1990 又研制了一台性能与 SEAMEX—85 相当的国产防爆槽波数字地震仪。通过在涟邵、大同、开滦等矿务局几十个煤矿的探测试验,证明槽波地震法是进行煤层工作面探测的先进技术。

2)应用

某矿 208 盘区进行槽波地震探测,其目的是查出盘区内的断层和陷落柱。因盘区走向长 980 m,倾向长 660 m,超过一般工作面巷道槽波探测距离,于是采用了巷道—钻孔、巷道—巷道和钻孔—钻孔几种槽波透射联合探测。图 6-6 所示为第一探测区综合平面图,钻孔沿 2174 运道布置,垂深 30 m,共打了 15 个孔,选用 58 个地震道布设了 9 个爆炸点,位置号为 7～35,共 29 个探测点,有效探测工程量为 1 740 道·炮,所覆盖的探测面积为 1—5—6—7—

35—44—36—1 这样一个多边形面积。

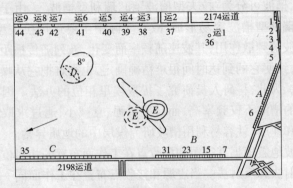

图 6-6　探测区综合平面图

所获槽波记录数据经格式转换、极化归位、能量均衡、滤波、初至拾取等处理,然后用 CT 软件中的"代数再现法"成像技术成图,其结果如图 6-7 所示。

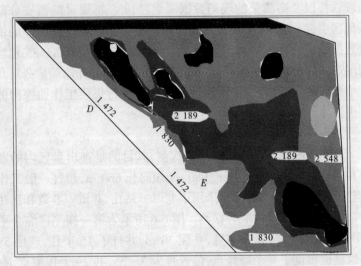

图 6-7　探测区槽波 CT 灰度平面图(单位:m／s)

图 6-7 中两块低速异常区 D 和 E,速度值仅 1 472m/s。D 异常和 2167 工作面揭露的 8 号陷落柱位置对应。E 异常的球部形态解释为陷落柱,其东、西、南边界成像场很清晰。E 陷落柱的存在及其位置已用其他方法证实。由于波在水中的速度是 1 400m/s,而测得波在 E 陷落柱中的速度是 1 472m/s,故推断 E 陷落柱内的充填物胶结性不好、松散、富含水,采掘时应注意。该资料提供给煤矿,避免了灾害的发生。

附录1　水文地质计量单位

量的名称	量的符号	单位符号
水量	V	m^3
时间	t	d
水位降	S	m
涌水量	Q	m^3/d
渗透系数	K	m/d
含水层厚度	M	m
补给半径	R	m
渗透路径	L	m
渗透速度	v	m/d
水头梯度	I	
空隙率	n	
导压系数	a	m^2/d
储水系数	μ^*	
导水系数	T	m^2/d
地温梯度	N	℃/m
动水力	G_d	kN/m^3
单位涌水量	q	$m^3/(s \cdot m)$
抗压强度	P	kPa
抗剪强度	σ_u	kPa
黏聚力	c	kPa
内摩擦角	φ	°
重度	γ	kN/m^3

附录 2　水文地质常见名词

水文地质学	hydrogeology	含水层	aquifer
水文循环	hydrologic	隔水层	aquicludes
大气圈	atmosphere	不透水层	aquifuge(impervious layer)
水圈	hydrosphere	均质含水层	homogeneous aquifer
岩石圈	geosphere	非均质含水层	inhomogeneous (heterogeneous) aquifer
地下水	ground water (subsurface water)	矿化度	mineralized degree
地表水	surface water	酸碱性	acid alkaline
大气水	atmospheric water	水的硬度	hardness of water
蒸发	evaporation	德国度	German degree
蒸腾	transpiration	侵蚀性	etchity
空隙	void	水质分析	water quality analysis
孔隙率	porosity	离子毫克数	ionic milligram
裂隙缝	crackity	评价	appreciate
毫克当量	milligram equivalence	环境	environment
渗入水	infiltrated water	补给量	recharge capacity
埋藏水	buried water	消耗量	consumption capacity
凝结水	condensation water	储存量	reserve capacity
再生水	rejuvenated water	实际开采量	substantial developed capacity
岩浆水	magmatic water	允许开采量	guarantee developed capacity
初生水	juvenile water	容积储存量	space reserve
包气带	zone of aeration	弹性储存量	elastic reserve
土壤水	soil water	可变储存量	changeable reserve
上层滞水	perch ground water	不变储存量	invariable reserve
饱水带	zone of saturation	降水入渗量	precipitation soak capacity
潜水	phreatic (unconfined) water	越流补给量	leakage recharge capacity
等值线	isogram	地下水污染	ground water pollution

承压水	pressure （confined） water	净化	depuration
自流水	artesian	介质	medium
等水位线	ground water table contour	化学需氧量 (COD)	Chemical Oxygen Demand
等水位线	equipotential line(pressure grads waterline)	生物化学需氧量(BOD)	Bio-Chemical Oxygen Demand(subsidence)
补给	recharge	水质	water quality
径流	runoff	地面下沉	surfacesubsidence
排泄	outflow (discharge)	灌溉系数	coefficient of irrigation
溢出带	effusion belt	钠吸附比	sodium absorptance
地下水运动	ground water movement	盐度	solinity
地下水动态	ground water dynamic (regime)	碱度	alkalinity
地下水均衡	ground water blalnce (budger)	酸度	acidity
层流	laminar flow	供水	water supply
紊流	turbulent flow	废水 淡水	waste water fresh water
越流	leakage	污水	sewage
地下水资源	ground water resource	上升泉	ascending spring
地下水储量	ground water reserve (inventory)	下降泉	descending spring
沉积岩	sedimentary rock	盐岩	saline
碎屑岩	clastic rock	石灰岩	limestone
黏土岩	clay rock	白云岩	dolomite
化学岩	chemical rock	泥灰岩	marl
生物岩	biolith	火山角砾岩	volcanic breccoa
砾岩	conglomerate	火山集块岩	volcanic agglemerate
角砾岩	breccia	凝灰岩	tuff
砂岩	sandstone	张节理	tension joint
粉砂岩	siltstone	卸荷裂隙	relief crack(fissure)
泥岩	mudstone	水平运动	horizontal movement

页岩	shale	升降运动	vertical movement
地质构造	geologic structure	造山运动	orogeny
大地构造	geotectonics	构造运动	tectogenesis
产状要素	elements of attitude	整合	cordant (conformite)
走向	strike	不整合	discordant (unconformity)
倾向	dip	假整合	deceptive cordant (conformity)
倾角	angle of dip(dip angle)	构造应力	tectonic stress
基岩产状	orientation of bedrock	残余应力	residual stress
地层	geostrome (stratum, strata)	抗压强度	compressive strength
岩层	layer,bed	抗拉强度	tensile strength
褶皱	fold	抗剪强度	shear strength
单斜	monocline	内摩擦角	angle of internal
向斜	syncline	内聚力(凝聚力、黏聚力)	cohesion
背斜	anticline	压缩变形	compression
穹窿	dome	地下洞室	underground cavern
盆地	basin	压力隧洞	pressure tunnel
断层	fault	无压隧洞	gravity tunnel
正断层	normal fault	覆盖层	overburden
逆断层	reversed fault	基岩	bed rock
平移断层	parallel fault	坚硬岩石	firm rock (sound rock)
地堑	graben	软弱岩石(层)	weak rock (soft stratum)
地垒	horst (fault ridge)	夹层	interbed
断层泥	gouge	破碎带	zone of fracture, zone of fragment
断层角砾岩	brecciation,crushing	物探	geophysical exploration
活断层	active fault	电法勘探	electrical exploration
擦痕	stria,slickensides	地震法勘探	seismic exploration
裂隙	fissure,crack,seam	硐探	exploratory adits

节理	joint	竖井	shaft
原生节理	original joint	坑探	exploring mining
次生节理	epigenetic joint	槽探	exploring trench
剪节理	shear joint	横剖面图	cross section
岩石试验	rock test	展示图	reveal detail map
压水试验	packer test (lugeon test)	节理玫瑰图	rose of joints
抽水试验	pumping test	地质柱状图	geologic columnar section(geologic log)
天然建筑材料调查	natural materiais surveying (examination)	图例	legend(map symbols)
地质报告书	geological report	纵剖面图	longitudinal section(profile)
地质详图	detail map of geology		
钻孔柱状图	logs of bore hole		

参 考 文 献

1. 李止根. 水文地质学. 北京: 地质出版社, 1980

2. 南京大学水文地质工程地质教研室. 工程地质学. 北京: 地质出版社, 1982

3. 曾宪明等. 基坑与边坡事故警示录. 北京: 中国建筑工业出版社, 1999

4. 于学馥等. 地下工程围岩稳定分析. 北京: 煤炭工业出版社, 1983

5. 刘庆军等. 小浪底水库蓄水运行对库区矿产资源利用的影响评价. 水利水电科技进展, 2001, 21(1)

6. 王志荣等. 河南省煤矿水害防治探讨. 地质灾害与环境保护, 1994, 5(3)

7. 牛景才, 赵苏启. 郑州矿区找水布井的体会. 中州煤炭, 1992(5)

8. 吴泽宁等. 水资源系统灰色风险计算模型. 郑州大学学报工学版, 2002, 23(3)

9. 赵苏启. 登封—新密煤田滑动构造的水文地质特征. 煤田地质与勘探, 1993, 21(1)

10. 邓聚龙. 灰色系统基本方法. 武汉: 华中理工大学出版社, 1987

11. 刘生优. 淮北朔里矿六煤层水害防治探讨. 焦作矿业学报, 1993, 12(4)

12. 陆勇敢等. 焦作矿井水矿物质成分调查与利用途径探讨. 中州煤炭, 2001, 112(4)

13. 曹代勇. 构造控煤的几种形式. 煤田地质与勘探, 1986(6)

14. 曹代勇. 河南省西部煤田新生代断块掀斜运动. 煤炭学报, 1988, 13(3)

15. 武强等. 华北型煤田矿井防治水决策系统. 北京: 煤炭工业出版社, 1995

16. 武强等. 中国华北型煤田矿坑涌水量预测的拟三维数值模型研究. 地球科学, 1992, 1(17)

17. 田开铭, 万力. 各向异性裂隙介质渗透性的研究与评价. 北京: 学苑出版社, 1989

18. 田开铭等. 裂隙水偏流. 北京: 学苑出版社, 1989

19. 李金凯等. 矿井岩溶水防治. 北京: 煤炭工业出版社, 1990

20. 叶贵钧等. 论中国岩溶充水煤矿区特征和排供结合. 水文地质工程地质, 1988(4)

21. 王梦玉.煤层底板突水机理及预测方法探讨.煤炭科学技术,1979(9)

22. 王恩志,杨成田.裂隙网络及地下水网络数值方法的研究.勘察科学技术, 1991,(4)

23. 田开铭.论裂隙岩石的水文地质模型.勘察科学技术,1984(4)

24. 王梦玉等.北方煤矿区矿井水排供结合初探.煤炭科学技术,1991(8)

25. 陈爱光,杨慈君等.地下水资源管理.北京:地质出版社,1991

26. 武强.华北型煤矿井排水、供水、环境保护三位一体结合优化管理研究.煤炭学报,1995(1)

27. 沈照理,刘光亚等.水文地质学.北京:科学出版社,1985

28. 路易斯 C..岩石水力学与岩石力学.北京:煤炭工业出版社,1981

29. 地质部水文地质工程地质局.中国固体矿床水文地质分类.北京:地质出版社,1959

30. 任美锷等.岩溶学概论.北京:商务印书馆,1983

31. 王锐.论华北地区岩溶陷落柱的形成.水文地质工程地质,1982(2)

32. 武强等.北方多事故大水岩溶煤矿床涌水量立体预测的优化管理模型研究——以焦作九里山矿为例.见:中国科协首届青年学术年会论文集(理科分册).北京:中国科学技术出版社,1992

33. 淮南矿院等.矿井地质及矿井水文地质.北京:煤炭工业出版社,1979

34. 李金凯.略论华北煤矿床奥陶系灰岩水突出特征及防治.煤田地质与勘探,1981(6)

35. 余国光.水文地质概念模型及其流场分析方法.水文地质工程地质专辑, 1986

36. 方玉先.焦作演马庄矿岩溶水隐伏补给口的勘查与堵截.中国岩溶,1985, 1(2)

37. 许涓铭,邵景力.地下水管理问题讲座.工程勘察,1988(1)~(6)

38. 崔光中等.论岩溶水系统预报时边界条件问题.中国岩溶,1985,1(2)

39. 中国科学院地质研究所岩溶研究组.中国岩溶研究.北京:科学出版社, 1979

40. 许学汉,王杰等.煤矿突水预报研究.北京:地质出版社,1991

41. 李松营,高荣斌等.新安煤矿12161工作面突水灾害分析.中州煤炭, 1999(3)

42. 郭启文,赵苏启等.芦沟煤矿突水灾害分析与综合治理技术.中州煤炭,
    2000(3)

43. 陆勇敢,黄苹.焦作矿井水矿物质成分调查与利用途径探讨.中州煤炭,
    2001(4)

44. 张平卿等.底板灰岩水分区治理的研究.中州煤炭,2002(4)

45. 赵苏启.治理龙门矿大动水的技术.中州煤炭,1997(4)

46. 张永旺等.演马庄矿25031工作面突水原因探讨.中州煤炭,2001(3)

47. 魏家聚等.大平矿14采区突水原因分析及防治.中州煤炭,2002(3)

48. 潘国营,钱家忠.矿井底板突水的评价与预测.见:煤炭高校第二届青年学
    术讨论会论文集.徐州:中国矿业大学出版社,1998